Netzwerk

Deutsch als Fremdsprache

A1.1

Mit DVD und Audio-CDs

Kurs- und Arbeitsbuch A1
Teil 1

Stefanie Dengler
Paul Rusch
Helen Schmitz
Tanja Sieber

Ernst Klett Sprachen
Stuttgart

Von
Stefanie Dengler, Paul Rusch, Helen Schmitz, Tanja Sieber

Projektleitung: Angela Kilimann
Redaktion: Angela Kilimann und Sabine Wenkums
Gestaltungskonzept, Layout und Cover: Andrea Pfeifer, München
Illustrationen: Florence Dailleux
Bildrecherche: Sabine Reiter
Satz und Repro: kaltner verlagsmedien GmbH, Bobingen

DVD
Drehbuch und Regie: Theo Scherling
Redaktion: Angela Kilimann

Audio-CDs
Musikproduktion, Aufnahme und Postproduktion: Heinz Graf, Puchheim
Regie: Sabine Wenkums

Verlag und Autoren danken Christoph Ehlers, Beate Lex, Anna Pilaski, Margret Rodi, Dr. Annegret Schmidjell, Dr. Iris Steckemetz, Matthias Vogel und allen Kolleginnen und Kollegen, die **Netzwerk** begutachtet sowie mit Kritik und wertvollen Anregungen zur Entwicklung des Lehrwerks beigetragen haben. Wir danken außerdem Marlies Kirchner, Theatiner Filmkunst München, der Conditorei Maelu München und Teresa Dunst und Alexander Schuster für ihre freundliche Unterstützung bei den Fotoaufnahmen.

Netzwerk A1 – Materialien

Teilbände	
Kurs- und Arbeitsbuch A1.1 mit DVD und 2 Audio-CDs	606131
Kurs- und Arbeitsbuch A1.2 mit DVD und 2 Audio-CDs	606132
Gesamtausgaben	
Kursbuch A1 mit 2 Audio-CDs	606128
Kursbuch A1 mit DVD und 2 Audio-CDs	606129
Arbeitsbuch A1 mit 2 Audio-CDs	606130
Zusatzkomponenten	
Lehrerhandbuch A1	606133
Digitales Unterrichtspaket A1 (DVD-ROM)	606134
Interaktive Tafelbilder A1 (CD-ROM)	606136
Interaktive Tafelbilder zum Download: www.klett-sprachen.de/tafelbilder	
Intensivtrainer A1	606138
Testheft A1	606141

In einigen Ländern ist es nicht erlaubt, in das Kursbuch hineinzuschreiben. Wir weisen darauf hin, dass die in den Arbeitsanweisungen formulierten Schreibaufforderungen immer auch im separaten Schulheft erledigt werden können.

Besuchen Sie uns auch im Internet: www.klett-sprachen.de/netzwerk

Audio-Dateien zum Download unter www.klett-sprachen.de/netzwerk/medienA1
Code:nW8y@X6

1. Auflage 1 13 12 11 | 2021 20 19

Erstausgabe erschienen 2011 bei der Langenscheidt KG, München

Druck und Bindung: Print Consult GmbH, München

ISBN 978-3-12-606131-5

MIX
Papier aus verantwortungsvollen Quellen
FSC www.fsc.org
FSC® C084279

Netzwerk – ein Lernpaket

Kursbuch

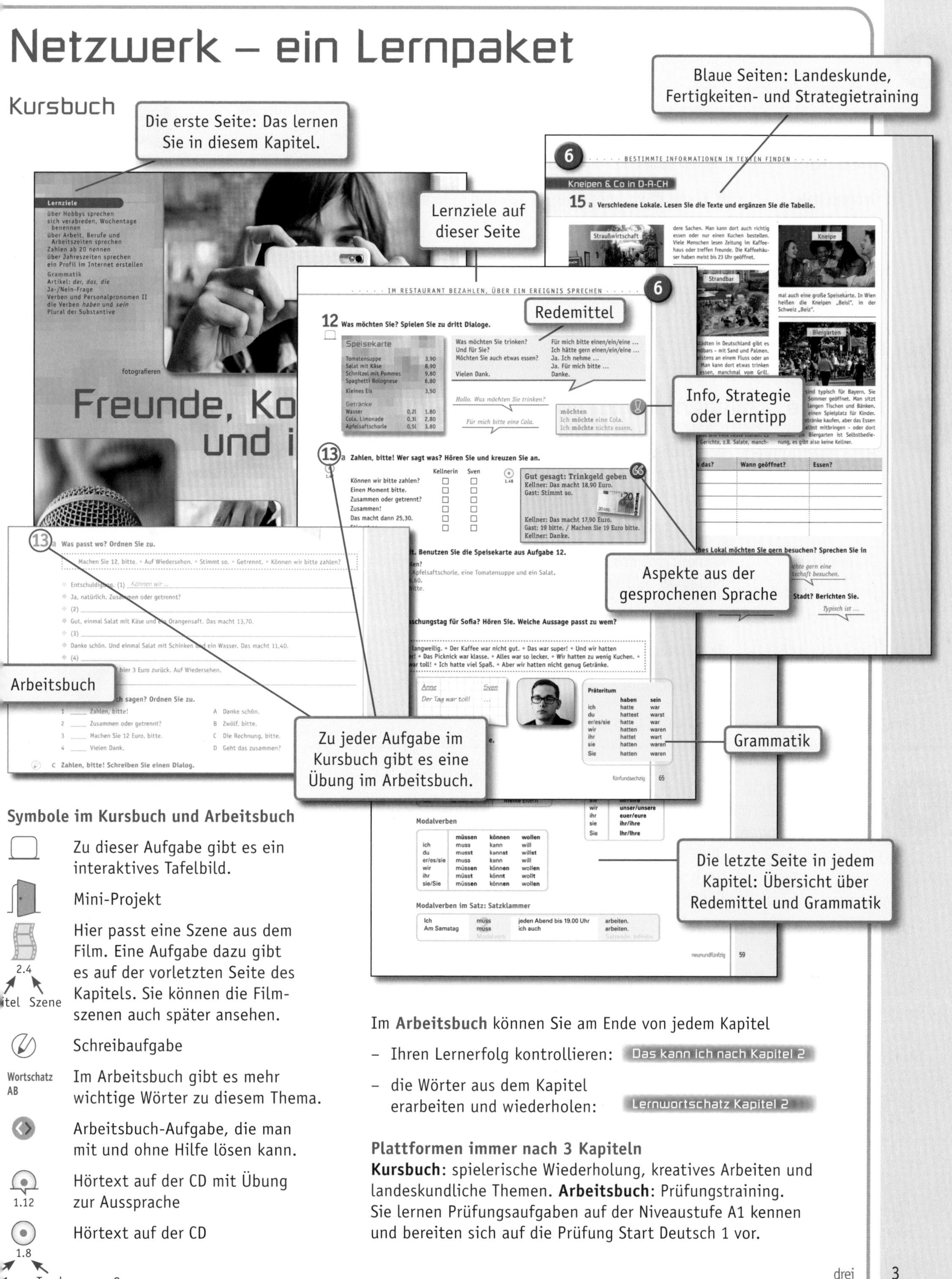

Symbole im Kursbuch und Arbeitsbuch

- Zu dieser Aufgabe gibt es ein interaktives Tafelbild.
- Mini-Projekt
- Hier passt eine Szene aus dem Film. Eine Aufgabe dazu gibt es auf der vorletzten Seite des Kapitels. Sie können die Filmszenen auch später ansehen. (2.4 – Titel, Szene)
- Schreibaufgabe
- Wortschatz AB – Im Arbeitsbuch gibt es mehr wichtige Wörter zu diesem Thema.
- Arbeitsbuch-Aufgabe, die man mit und ohne Hilfe lösen kann.
- 1.12 – Hörtext auf der CD mit Übung zur Aussprache
- 1.8 – Hörtext auf der CD (1 – Tracknummer 8)

Im **Arbeitsbuch** können Sie am Ende von jedem Kapitel

- Ihren Lernerfolg kontrollieren: Das kann ich nach Kapitel 2
- die Wörter aus dem Kapitel erarbeiten und wiederholen: Lernwortschatz Kapitel 2

Plattformen immer nach 3 Kapiteln
Kursbuch: spielerische Wiederholung, kreatives Arbeiten und landeskundliche Themen. **Arbeitsbuch**: Prüfungstraining. Sie lernen Prüfungsaufgaben auf der Niveaustufe A1 kennen und bereiten sich auf die Prüfung Start Deutsch 1 vor.

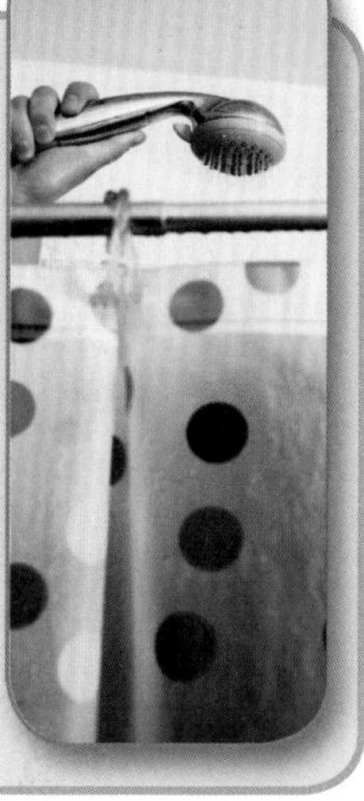

Lernziele

grüßen und verabschieden
sich und andere vorstellen
über sich und andere sprechen
Zahlen bis 20, Telefonnummer und E-Mail-Adresse sagen
buchstabieren
über Länder und Sprachen sprechen

Grammatik

W-Frage
Aussagesatz
Verben und Personalpronomen I

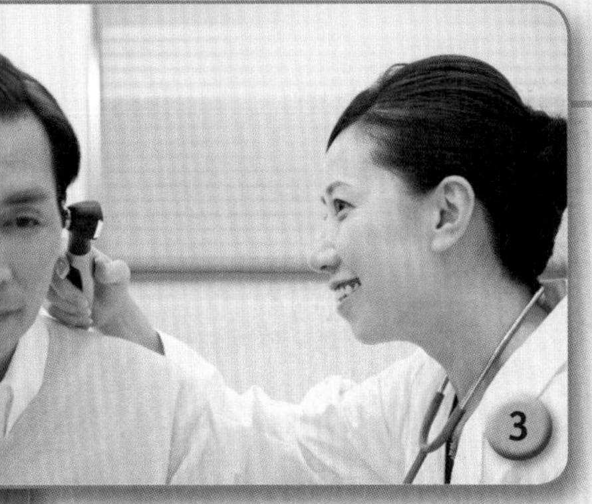

クランケ (~ kuranke) (Japanisch)

le vasistas (Französisch)

бутерброд (~ buterbrod) (Russisch)

otoban (Türkisch)

Guten Tag!

il wurstel (Italienisch)

früstök (Ungarisch)

the strudel (Englisch)

vals (Spanisch)

анцуг (~ anzug) (Bulgarisch)

1 **a** **Deutsch international. Was gehört zusammen? Ordnen Sie zu.**

1 - F

b **Wie heißen diese Wörter in Ihrer Sprache?**

c **Kennen Sie andere deutsche Wörter? Sammeln Sie.**

Hallo! Tschüs!

2

1.2–4

a Hallo! Wer bist du? Hören Sie und lesen Sie. Wie heißen die Personen?

◇ Hallo Nina!
◆ Hallo Gregor! Wie geht's?
◇ Danke, sehr gut! Und dir?
◆ Es geht, danke.

____

____

◇ Hallo Nina!
◆ Hallo Julia! Wie geht's?
◇ Danke, gut. Und dir?
◆ Es geht.

◇ Hallo, ich bin Julia. Und du? Wer bist du?
◆ Ich heiße Gregor.
◇ Entschuldigung, wie heißt du?
◆ Gregor.

____

◇ Tschüs!
◆ Tschüs Julia! Bis bald!
◇ Tschüs!

b Hallo und tschüs. Spielen Sie die Situationen.

Hallo!	
Wie heißt du?	Ich heiße …
Wer bist du?	Ich bin …
Wie geht's?	Danke, gut! / Danke, sehr gut!
Und dir?	Auch gut, danke. / Es geht.
Tschüs!	

W-Frage
Wie heißt du?
Wer bist du?

Aussagesatz
Ich heiße Gregor.
Ich bin Gregor.

c Kennen Sie deutsche Namen oder bekannte deutsche Personen? Sammeln Sie.

Katharina

Philipp Lahm

Guten Tag! Auf Wiedersehen!

3

1.5–7

a Guten Tag. Wie heißen Sie? Hören Sie und lesen Sie. Wie heißen die Personen?

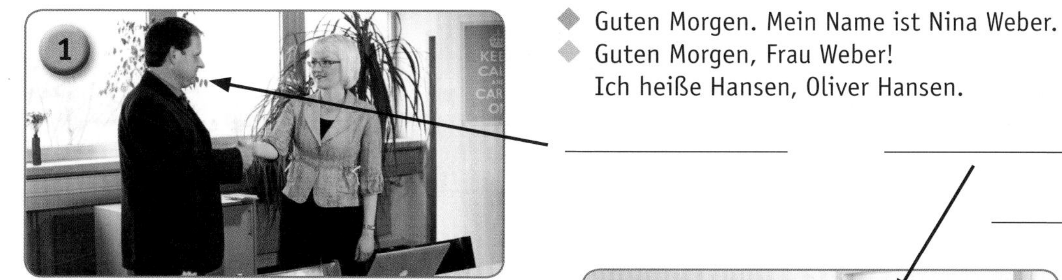

◆ Guten Morgen. Mein Name ist Nina Weber.
◇ Guten Morgen, Frau Weber!
Ich heiße Hansen, Oliver Hansen.

__________ __________ __________

◆ Guten Tag, Frau Kowalski.
◇ Guten Tag, Frau Weber. Wie geht es Ihnen?
◆ Danke gut. Und Ihnen?
◇ Auch gut. Danke.

◆ Guten Tag, Frau Weber.
◆ Hallo, Herr Hansen.
Das ist meine Kollegin, Natalia Kowalski.
◆ Guten Tag, Frau Kowalski. Mein Name ist Hansen.
◇ Guten Tag! Entschuldigung, wie heißen Sie?
◆ Oliver Hansen.

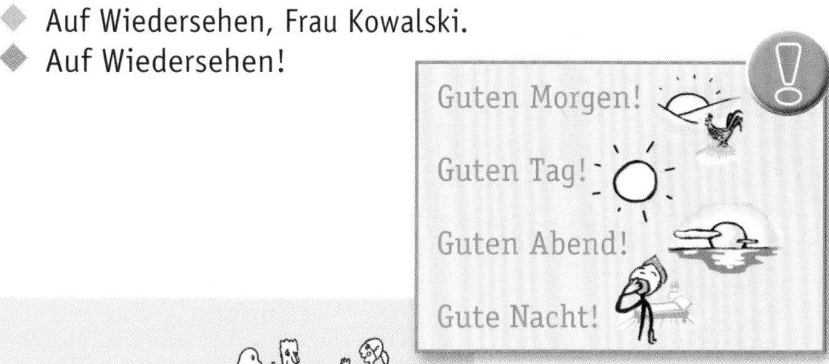

◇ Auf Wiedersehen, Herr Hansen.
Tschüs, Frau Weber.
◆ Auf Wiedersehen, Frau Kowalski.
◆ Auf Wiedersehen!

!

Guten Morgen!

Guten Tag!

Guten Abend!

Gute Nacht!

b Spielen Sie Dialoge.

Guten Tag!
Mein Name ist ...
Wie heißen Sie?

Das ist Frau ... / Herr ...

Auf Wiedersehen!

Verben und Personalpronomen

	heißen	sein
ich	heiß**e**	**bin**
du	heiß**t**	**bist**
Sie	heiß**en**	**sind**

!

Du* und *Sie
informell: *du* + Vorname
Wie heißt **du**? — Ich heiße **Nina**. Ich bin **Nina**.

formell: *Sie* + Nachname
Wie heißen **Sie**? — Mein Name ist **Weber**.
Wie ist **Ihr** Name? — Ich heiße **Nina Weber**.

1.1

Wie heißen Sie?

4

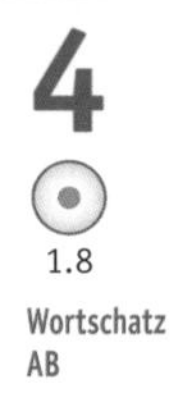
1.8
Wortschatz AB

a Lesen Sie und hören Sie. Ordnen Sie die Antworten zu.

Selina Lang
Reiseführerin – guía de turismo – tourist guide
Deutsch – Spanisch – Englisch
Ludwigstr. 39 – 60327 Frankfurt
Telefon: +49 / (0)171 / 8264 731
selina@langguide.de www.langguide.de

1 Woher kommen Sie, Frau Lang?
2 Welche Sprachen sprechen Sie?
3 Wo wohnen Sie?

A Ich spreche Spanisch, Englisch und Deutsch.
B Ich komme aus Deutschland.
C Ich wohne in Frankfurt.

b Spielen Sie Dialoge.

- Wie heißt du?
- Ich heiße Jan.
- Woher kommst du?
- Aus Frankfurt.
- Und wo wohnst du?
- In Zürich.

W-Frage		
Wie	heißt	du?
Wo	wohnst	du?
Woher	kommen	Sie?

Woher kommst du? / Woher kommen Sie? – Ich komme aus Frankfurt. / Aus Frankfurt.
Wo wohnst du? / Wo wohnen Sie? – Ich wohne in Zürich. / In Zürich.

c Lesen Sie und ergänzen Sie die Verben.

Das ist Frau Lang. Sie *kommt* aus Deutschland. Sie ______________ in Frankfurt.

Jan ______________ aus Frankfurt. Er ______________ in Zürich.

Verben und Personalpronomen

	wohnen	kommen	sein
ich	wohn**e**	komm**e**	**bin**
du	wohn**st**	komm**st**	**bist**
er/sie	wohn**t**	komm**t**	**ist**
Sie	wohn**en**	komm**en**	**sind**

5

a Und Sie? Machen Sie 3 Interviews in der Sie-Form. Notieren Sie.

Guten Tag. Wie heißen Sie?

Name? ______________
Woher? ______________
Wo? ______________

b Wer ist das? Stellen Sie einen Partner / eine Partnerin vor. Die anderen raten den Namen.

Zahlen und Buchstaben

6 1.9

a Die Zahlen. Hören Sie den Zahlen-Rap und sprechen Sie dann laut mit.

0 null	1 eins	2 zwei	3 drei	4 vier	5 fünf	6 sechs	7 sieben	8 acht	9 neun	10 zehn
	11 elf	12 zwölf	13 dreizehn	14 vierzehn	15 fünfzehn	16 sechzehn	17 siebzehn	18 achtzehn	19 neunzehn	20 zwanzig

1.10–11

b Hören Sie. Notieren Sie die Telefonnummern.

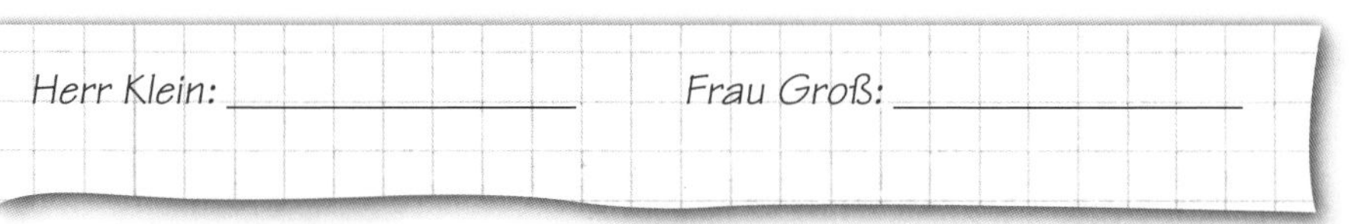

c Fragen Sie Ihren Partner / Ihre Partnerin nach der Telefonnummer. Notieren Sie.

1.2

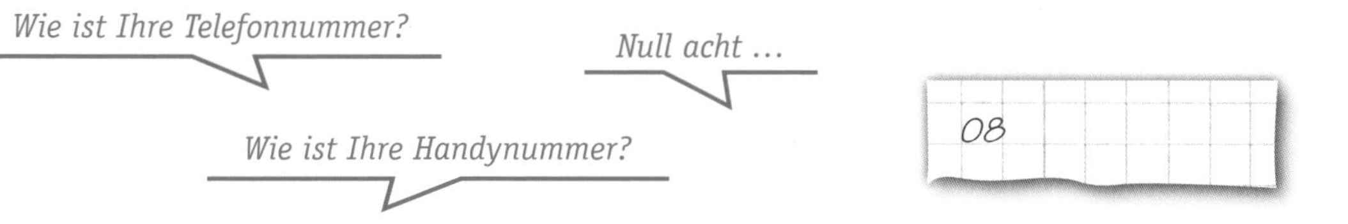

7 1.12

a Das Alphabet. Hören Sie erst den Buchstaben-Rap und lesen Sie dann laut mit.

a A	b B	c C	d D	e E	f F	g G	h H	i I	j J	k K	l L	m M
n N	o O	p P	q Q	r R	s S	t T	u U	v V	w W	x X	y Y	z Z
ä Ä	ö Ö	ü Ü	ß SS									

1.13

b Hören Sie das Telefongespräch. Schreiben Sie die E-Mail-Adressen.

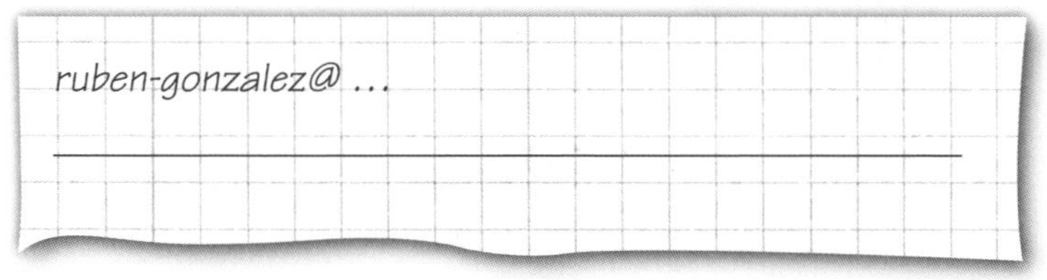

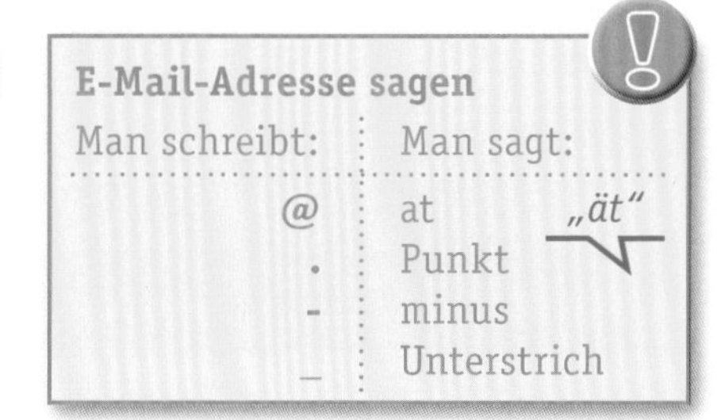

c Variieren Sie den Dialog.

◆ Wie heißt du?
◇ Alexis.
◆ Wie bitte? Kannst du das buchstabieren?
◇ A L E X I S.
◆ Und wie ist deine E-Mail-Adresse?
◇ alexis_barbos@quinnet.com

1.14

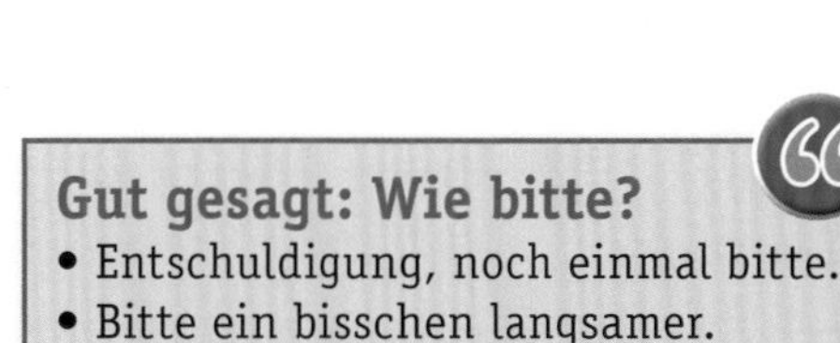

Länder und Sprachen

8 a **Lesen Sie. Woher kommen die Personen? Wo wohnen sie? Welche Sprachen sprechen sie? Ergänzen Sie die Tabelle.**

Rose Lewis kommt aus den USA. Sie wohnt in San Francisco. Sie spricht Englisch und Deutsch. Sie lernt Spanisch.

Boris Walder kommt aus Österreich. Er wohnt in Salzburg. Er spricht Deutsch und Englisch. Er lernt Arabisch.

Kateb Brahim kommt aus Algerien. Er wohnt in Genf. Er spricht Arabisch, Französisch und lernt Deutsch.

Hong Yang kommt aus China. Sie wohnt in Shanghai. Frau Hong spricht Chinesisch und Deutsch.

	kommt aus ...	**wohnt in ...**	**spricht ...**	**lernt ...**
Rose Lewis	*den USA*	*San Francisco*	*Englisch, Deutsch*	
Kateb Brahim	*Algerien*			
Boris Walder				
Hong Yang				

1.3

Wortschatz AB

b Ergänzen Sie Land oder Sprache.

Chinesisch • Deutsch • Deutsch • ~~Deutschland~~ • Englisch • Englisch • Frankreich • Italien • Japanisch • Polen • Russland • Spanisch • Türkisch • Arabisch

Land	Sprache	Land	Sprache
Deutschland	Deutsch	______	Polnisch
Österreich	______	die Türkei	______
die Schweiz	______, Französisch, Italienisch, Rätoromanisch	______	Russisch
______	Französisch	Ägypten	______
Großbritannien	______	Japan	______
______	Italienisch	die USA	______
Spanien	______	China	______

c Ergänzen Sie Ihr Land und Ihre Sprache(n).

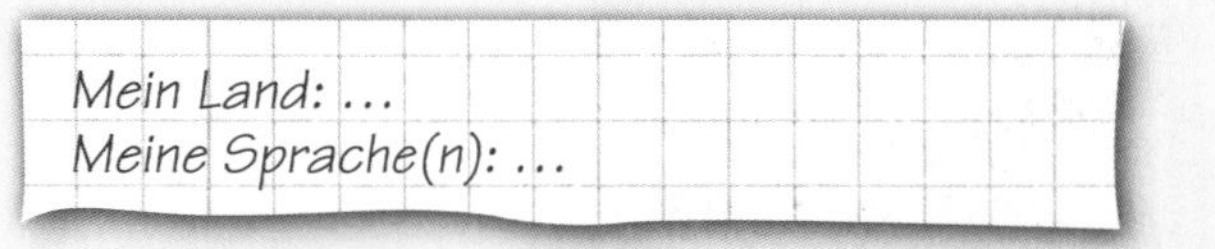

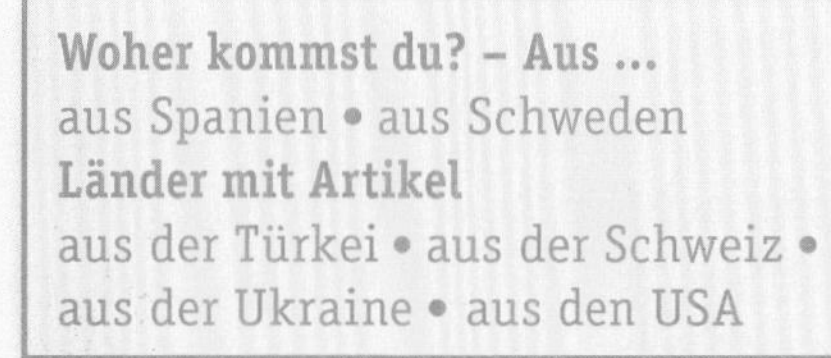

d Machen Sie eine Kursliste.

Welche Sprachen sprichst du?

Ich spreche ...

Name	E-Mail	Telefon	Sprachen	Land

Der Film

9 **Guten Tag! Sehen Sie Szene 1. Wie heißen die Personen? Notieren Sie die Namen.**

1.1

10 **Die Telefonnummer. Sehen Sie Szene 2. Notieren Sie die Telefonnummer.**

1.2

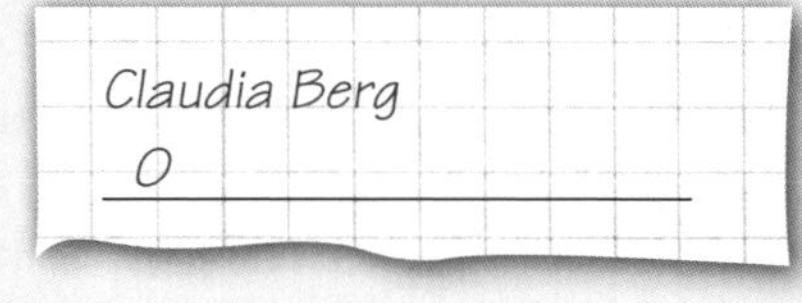

11 **Ich spreche ... Sehen Sie Szene 3. Was wissen Sie über die Personen? Ergänzen Sie.**

1.3

Bea kommt aus

_____________________.

Sie macht ein Praktikum

in _____________________.

Sie spricht _______________,

_____________ und Spanisch.

Ella Berg wohnt in

_____________________.

Sie lernt _____________________.

12 **Sehen Sie noch einmal Kapitel 1 komplett. Was ist richtig? Kreuzen Sie an.**

1

[A] Bea kommt aus Berlin. Sie macht ein Praktikum in München. Sie wohnt bei Familie Berg.

[B] Bea kommt aus München. Sie macht ein Praktikum in Berlin. Sie wohnt bei Felix und Ella.

Kurz und klar

begrüßen

Hallo Nina! Hallo Gregor!
Guten Tag! / Guten Tag, Herr Kaiser!
Guten Morgen! / Guten Abend!

verabschieden

Tschüs!
Auf Wiedersehen!
Gute Nacht!

sich und andere vorstellen

Wer bist du? / Wie heißt du? – Ich bin Julia. Ich heiße Gregor.
Wie heißen Sie? / Wie ist Ihr Name? – Mein Name ist Nina Weber.
Das ist Herr/Frau ... / meine Kollegin, Natalia Kowalski.

über sich und andere sprechen

Wo wohnen Sie? / Wo wohnst du? – Ich wohne in Leipzig. / In Leipzig.
Woher kommen Sie? / Woher kommst du? – Ich komme aus Spanien. / Aus Spanien.
Welche Sprachen sprechen Sie / ... sprichst du? – Ich spreche Deutsch und Russisch.
Wie ist Ihre/deine Telefonnummer? – 0650-32 ...
Wie ist Ihre/deine E-Mail-Adresse? – alexis_barbos@quinnet.com
Wer ist das? – Das ist Selina Lang.

nach dem Befinden fragen und darauf antworten

Wie geht es Ihnen? – Danke, sehr gut. / Danke, gut. / Es geht. Und Ihnen?
Wie geht es dir? / Wie geht's? – Danke, sehr gut. / Danke, gut. / Es geht. Und dir?

Grammatik

W-Frage und Aussagesatz

W-Frage

1	2	
Wer	bist	du?
Wie	heißt	du?
Woher	kommt	Frau Yang?
Wo	wohnen	Sie?
Welche Sprachen	sprechen	Sie?
W-Wort	Verb	

Aussagsatz

1	2	
Ich	bin	Julia.
Ich	heiße	Gregor.
Sie	kommt	aus China.
Ich	wohne	in Zürich.
Ich	spreche	Deutsch.
Subjekt	Verb	

Verben und Personalpronomen

Personalpronomen	sein	heißen	kommen	sprechen
ich	**bin**	heiß**e**	komm**e**	sprech**e**
du	**bist**	heiß**t**	komm**st**	sprich**st**
er/es/sie	**ist**	heiß**t**	komm**t**	sprich**t**
Sie	**sind**	heiß**en**	komm**en**	sprech**en**

Referenz in Texten

Das ist **Frau Lang**. **Sie** kommt aus Deutschland. **Sie** spricht Deutsch, Spanisch und Englisch.
Das ist **Jan**. **Er** kommt aus Frankfurt. **Er** wohnt in Zürich.

Lernziele

über Hobbys sprechen
sich verabreden, Wochentage benennen
über Arbeit, Berufe und Arbeitszeiten sprechen
Zahlen ab 20 nennen
über Jahreszeiten sprechen
ein Profil im Internet erstellen

Grammatik

Artikel: *der, das, die*
Verben und Personalpronomen II
Ja-/Nein-Frage
Plural der Substantive
die Verben *haben* und *sein*

fotografieren

Freunde, Kollegen und ich

singen

kochen

schwimmen

reisen

tanzen

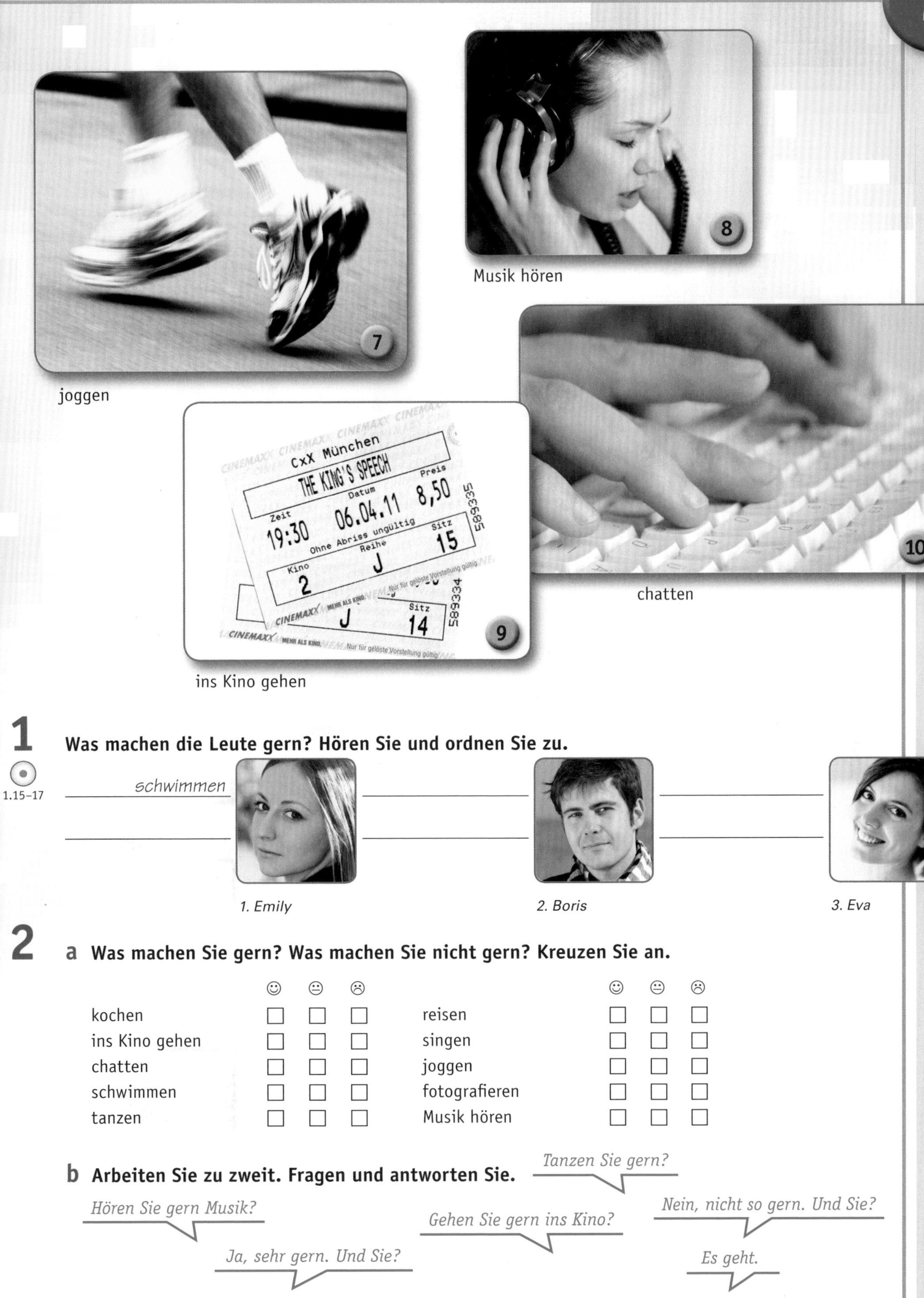

7 joggen

8 Musik hören

9 ins Kino gehen

10 chatten

1 Was machen die Leute gern? Hören Sie und ordnen Sie zu.

1.15–17

schwimmen ____________

1. Emily

2. Boris

3. Eva

2

a Was machen Sie gern? Was machen Sie nicht gern? Kreuzen Sie an.

	☺	😐	☹		☺	😐	☹
kochen	☐	☐	☐	reisen	☐	☐	☐
ins Kino gehen	☐	☐	☐	singen	☐	☐	☐
chatten	☐	☐	☐	joggen	☐	☐	☐
schwimmen	☐	☐	☐	fotografieren	☐	☐	☐
tanzen	☐	☐	☐	Musik hören	☐	☐	☐

b Arbeiten Sie zu zweit. Fragen und antworten Sie.

Tanzen Sie gern?

Hören Sie gern Musik?

Gehen Sie gern ins Kino?

Nein, nicht so gern. Und Sie?

Ja, sehr gern. Und Sie?

Es geht.

Meine Hobbys, meine Freunde

3 a Lesen Sie und ergänzen Sie die Verben.

spielen • liest • reisen • singt • ~~koche~~

Pinnwand | Info | Fotos

Informationen

Katja Petrow
17.04.1990
Berlin

Katjas Fotoalbum

5 Fotos alle anzeigen

Ich *koche* gern!

Tom und ich ________ gern. Paris! Wir lieben die Stadt!

Betty und die Bücher. Sie ________ gern! ☺

Das Hobby von Ben – er ________ super!

Hannes, Markus und der Fußball ☺. Sie ________ super.

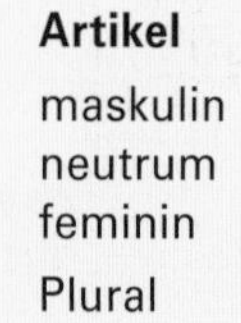

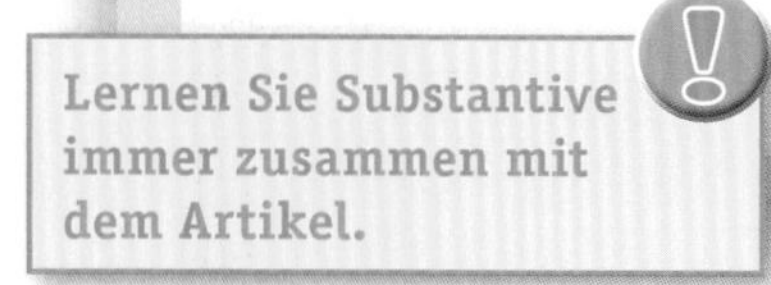
Lernen Sie Substantive immer zusammen mit dem Artikel.

Artikel	
maskulin	**der** Fußball
neutrum	**das** Hobby
feminin	**die** Stadt
Plural	**die** Bücher

b Ergänzen Sie die Endungen und ordnen Sie die Kommentare den Fotos zu.

Neue Fotos! Was meint ihr?

A *4* **Anne Huber** Lustig! Sing____ du auch so gut?

B ___ **Agnes** Ich reis____ im August nach Paris! Komm____ ihr auch?

C ___ **Betty Meier** Spiel____ sie Fußball oder tanze____ sie? ☺☺☺

D ___ **Markus** Hallo Katja! Koch____ wir am Wochenende Spaghetti?

E ___ **Ben Biller** Ich les____ ein Buch von John Grisham! Und du?

Verben und Personalpronomen		
ich	spiel**e**	les**e**
du	spiel**st**	lie**st**
er/es/sie	spiel**t**	lie**st**
wir	spiel**en**	les**en**
ihr	spiel**t**	les**t**
sie	spiel**en**	les**en**
Sie	spiel**en**	les**en**

4 Machen Sie eine Kursstatistik. Welche Hobbys sind in Ihrem Kurs sehr beliebt, welche sind nicht beliebt?

Gehen wir ins Kino?

5 1.18

a Hören Sie und lesen Sie den Dialog. Wann gehen Katja und ihre Freundin Betty ins Kino?

- ◇ Gehen wir ins Kino?
- ◆ Ja, gern. Wann?
- ◇ Am Samstag?
- ◆ Nee, das geht leider nicht.
- ◇ Am Mittwoch?
- ◆ Ja, super.

Montag	Dienstag	Mittwoch	Donnerstag	Freitag	**Samstag**	**Sonntag**

b Spielen Sie Dialoge wie in Aufgabe 5a. Gehen Sie durch den Kursraum und machen Sie für jeden Tag eine Verabredung mit einer anderen Person. Schreiben Sie Ihre Termine in den Kalender.

1.19

Gut gesagt: Nein!
Die Deutschen sagen für „nein" oft „nee" oder „nö", in Bayern und Österreich „na".

ins Theater

ins Schwimmbad

ins Restaurant

Gehen wir ins Restaurant?

Ja, gern.

ins Museum

ins Café

ins Fußballstadion

Ja-/Nein-Frage

1	2	
Gehen	wir	ins Kino? – Ja. / Nein.

Montag Monday *Lundi* 18	Dienstag Tuesday *Mardi* 19	Mittwoch Wednesday *Mercredi* 20	Donnerstag Thursday *Jeudi* 21	Freitag Friday *Vendredi* 22	**Samstag** Saturday *Samedi* **23**	**Sonntag** Sunday *Dimanche* **24**
			Restaurant mit Gabi			

2.4

6 1.20

a Satzmelodie: Fragen und Antworten. Hören Sie und sprechen Sie nach.

1. Gehen wir ins Kino? ↗ – Ja, gerne. ↘
2. Gehen wir ins Theater? ↗ – Nein, das geht nicht. ↘

3. Wann gehen wir? ↗ – Am Montag. ↘
4. Was machen wir am Montag? ↗ – Wir gehen ins Kino. ↘

1.21

b Frage oder Aussage. Was hören Sie? Achten Sie auf die Melodie. Ergänzen Sie „." oder „?".

1. Am Samstag ____
2. Am Sonntag ____
3. Ins Kino ____
4. Am Freitag ____

Mein Beruf

7

a Lesen Sie die Texte. Ordnen Sie die Bilder zu.

Harun Arslan

Silke Jonas

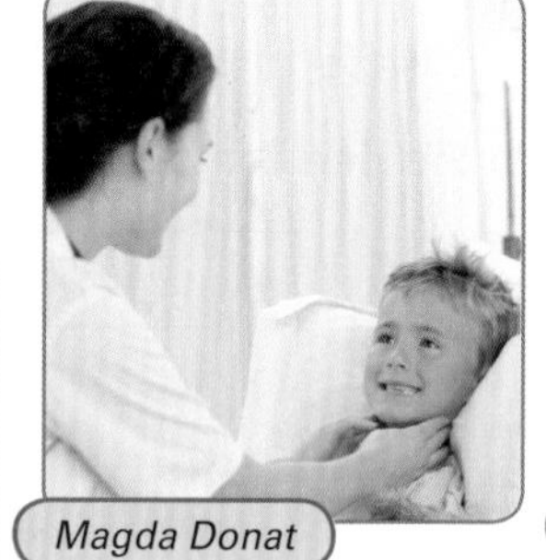

Magda Donat

Fabian Höflinger

(1) Ich bin Ärztin und arbeite in einer Klinik. Hier arbeiten 920 Ärzte und wir haben Platz für 1250 Patienten. Ich arbeite 40 Stunden pro Woche, oft auch nachts und am Wochenende.

Name ______________

(2) Ich bin Techniker bei VW – wir produzieren Autos. In Wolfsburg arbeiten 50 000 Menschen. Ich arbeite am Wochenende, aber ich habe zwei Tage frei: Montag und Dienstag.

Name ______________

(3) Ich bin Taxifahrer bei „Taxi-Zentral". Ich fahre pro Jahr 40 000 Kilometer – und lese 45 Bücher. Ich warte viel und lese! Ich arbeite sechs Tage pro Woche. Am Montag habe ich frei.

Name ______________

(4) Ich bin Studentin. Ich bin von Montag bis Donnerstag an der Uni. Ich lerne am Freitag und am Sonntag, am Samstag habe ich frei. Ich studiere Architektur in Köln. Hier gibt es 670 Architekturstudenten – zu viele!

Name ______________

1.22

b Unterstreichen Sie alle Zahlen im Text. Welche Zahl passt zu welchem Wort? Hören Sie und sprechen Sie nach.

neunhundertzwanzig *920*

fünfzigtausend ______

tausendzweihundertfünfzig ______

sechshundertsiebzig ______

fünfundvierzig ______

vierzigtausend ______

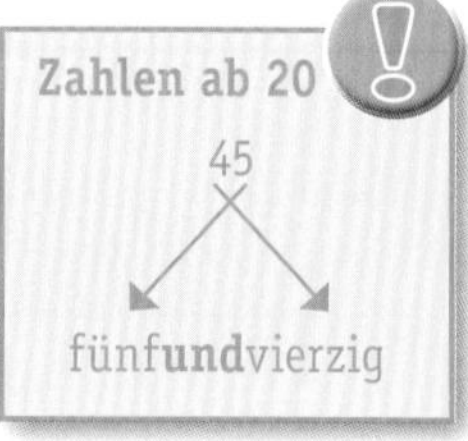

c Arbeiten Sie zu zweit. Partner A sammelt Informationen aus Text 1 und 2, Partner B sammelt Informationen aus Text 3 und 4.

Name	Harun Arslan	Silke Jonas	Magda Donat	Fabian Höflinger
Beruf	*Techniker*			
Arbeitsplatz				*„Taxi-Zentral"*
Arbeitszeit			*40 Stunden …*	
Freizeit		*am Samstag*		

d Welche Informationen fehlen? Fragen Sie Ihren Partner und schreiben Sie in die Tabelle.

Was ist Herr Arslan von Beruf?

Techniker.

Wo arbeitet er?

Wann hat er frei?

Wann arbeitet er?

8

a Pluralformen. Lesen Sie die Texte in Aufgabe 7a noch einmal. Notieren Sie den Plural von diesen Wörtern.

Singular	Plural	Singular	Plural
der Arzt	*die Ärzte*	die Stunde	___
der Tag	___	der Mensch	___
das Buch	___	der Patient	___
der Kilometer	___	das Auto	___

b Welche Plural-Endungen gibt es? Markieren Sie.

! Lernen Sie Singular und Plural immer zusammen.

Was sind Sie von Beruf?

9

a Berufe raten. Wie heißen diese Berufe? Ordnen Sie zu.

die Professorin • der Ingenieur • die Journalistin • der Architekt • der Boxer

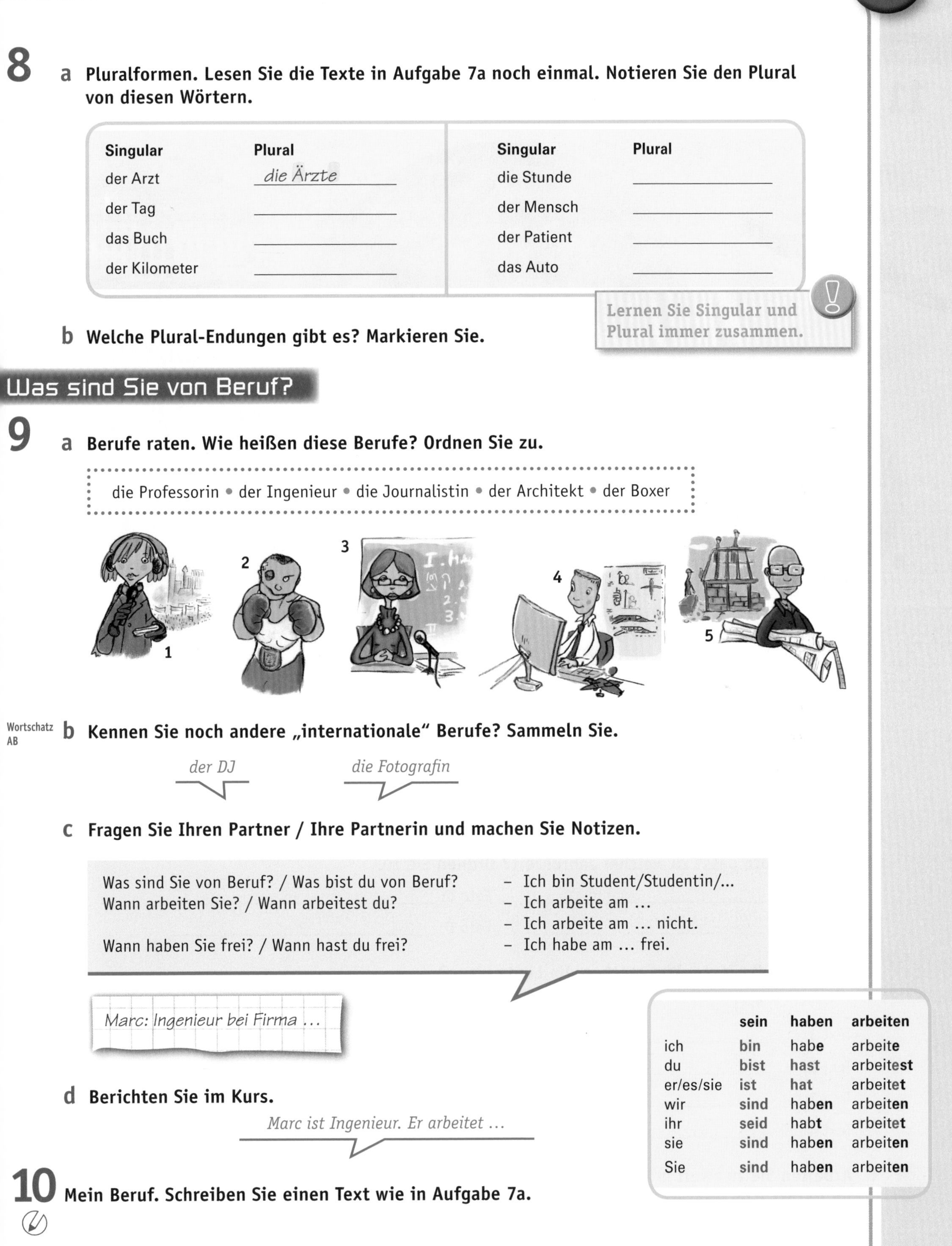

Wortschatz AB

b Kennen Sie noch andere „internationale" Berufe? Sammeln Sie.

der DJ

die Fotografin

c Fragen Sie Ihren Partner / Ihre Partnerin und machen Sie Notizen.

Was sind Sie von Beruf? / Was bist du von Beruf?	– Ich bin Student/Studentin/...
Wann arbeiten Sie? / Wann arbeitest du?	– Ich arbeite am ...
	– Ich arbeite am ... nicht.
Wann haben Sie frei? / Wann hast du frei?	– Ich habe am ... frei.

Marc: Ingenieur bei Firma ...

d Berichten Sie im Kurs.

Marc ist Ingenieur. Er arbeitet ...

	sein	haben	arbeiten
ich	**bin**	hab**e**	arbeit**e**
du	**bist**	ha**st**	arbeit**est**
er/es/sie	**ist**	ha**t**	arbeit**et**
wir	**sind**	hab**en**	arbeit**en**
ihr	**seid**	hab**t**	arbeit**et**
sie	**sind**	hab**en**	arbeit**en**
Sie	**sind**	hab**en**	arbeit**en**

10

Mein Beruf. Schreiben Sie einen Text wie in Aufgabe 7a.

Jahreszeiten in D-A-CH

11 a Die Monate. Wie heißen die Monate in anderen Sprachen? Sammeln Sie im Kurs.

Januar/Jänner	Februar	März	April	Mai	Juni
january, janvar, …					
Juli	**August**	**September**	**Oktober**	**November**	**Dezember**

b Welches Foto passt zu welcher Jahreszeit? Ordnen Sie zu.

Foto A: ____________ Foto C: ____________

Foto B: ____________ Foto D: ____________

1.23–26

c Hören Sie die Texte. Was machen die Leute wann?

	Was?	Wann?
Text 1:	____________	____________
Text 2:	____________	____________
Text 3:	____________	____________
Text 4:	____________	____________

d Arbeiten Sie zu zweit mit dem Wörterbuch: Was machen Sie im Frühling / im Sommer / im Herbst / im Winter? Machen Sie ein Plakat zu den Jahreszeiten. Schreiben Sie und malen Sie. Präsentieren Sie Ihr Plakat im Kurs.

Willkommen bei ...

12 a Persönliche Angaben. Was passt zusammen? Notieren Sie.

~~Vorname~~ • Name • Geburtsdatum • Geburtsort • Adresse • Telefonnummer • Handynummer

030-717123 • Miller • New York • 01.04.1988 • 0171-12085614 • Goethestr. 7, 10711 Berlin • ~~Jonathan~~

Vorname: Jonathan

b Sie registrieren sich bei einer Internetseite. Ergänzen Sie das Formular mit Ihren Angaben.

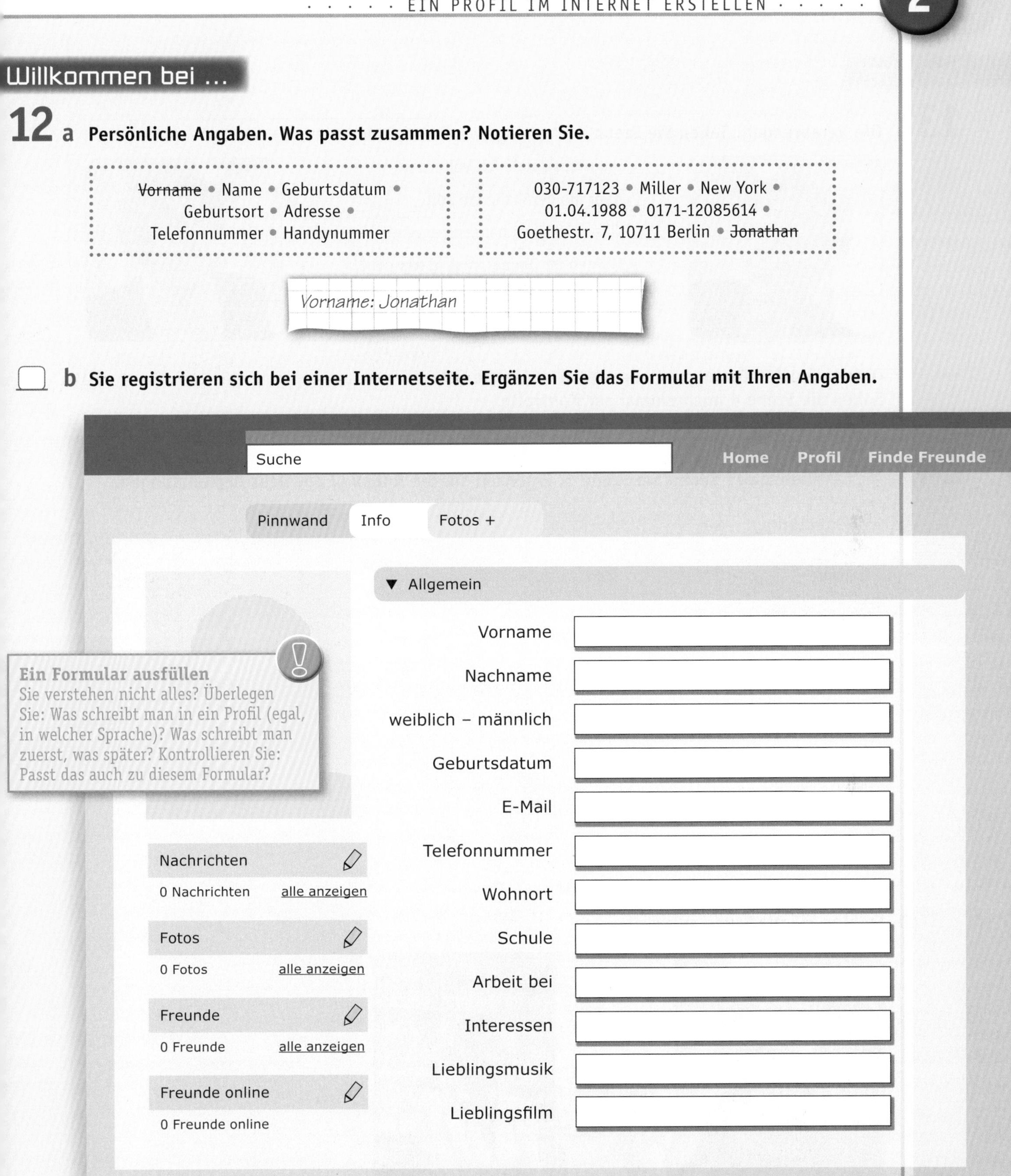

Ein Formular ausfüllen
Sie verstehen nicht alles? Überlegen Sie: Was schreibt man in ein Profil (egal, in welcher Sprache)? Was schreibt man zuerst, was später? Kontrollieren Sie: Passt das auch zu diesem Formular?

c Hängen Sie Ihre Profile ohne Namen im Kursraum auf. Raten Sie: Wer ist das?

2.5

Der Film

13 a Die Verabredung. Sehen Sie Szene 4. Wer sagt was? Verbinden Sie.

2.4

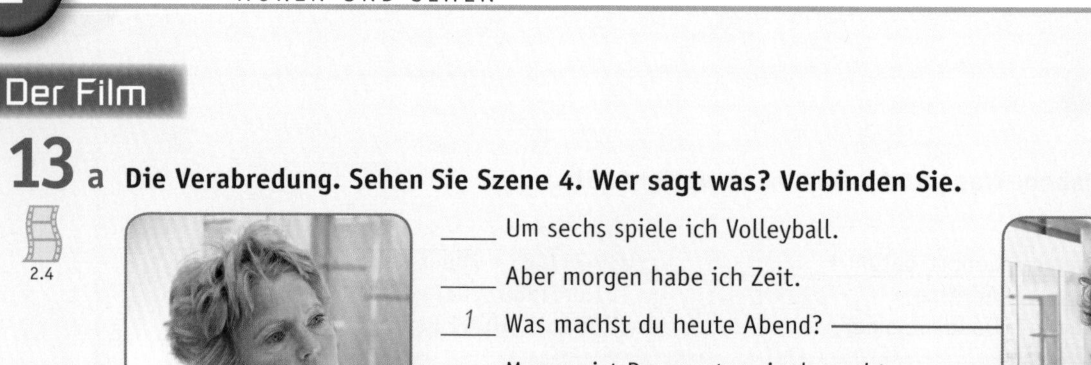

____ Um sechs spiele ich Volleyball.

____ Aber morgen habe ich Zeit.

_1_ Was machst du heute Abend?

____ Morgen ist Donnerstag, ja das geht.

____ Gehen wir ins Kino?

____ Heute Abend, tut mir leid, das geht nicht.

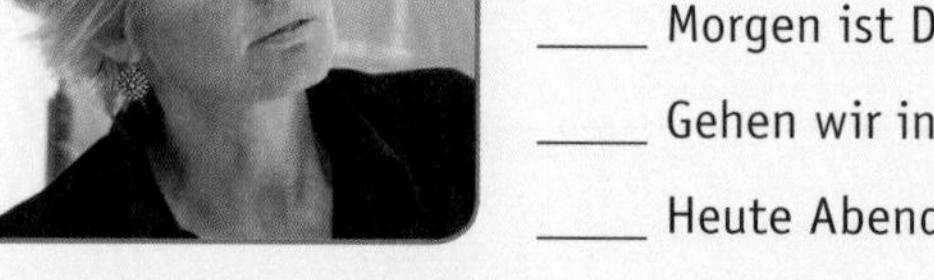

**b Ordnen Sie den Dialog und nummerieren Sie die Sätze.
Sehen Sie Szene 4 noch einmal zur Kontrolle.**

14 a Ihr Familienname? Sehen Sie Szene 5. Ergänzen Sie die Angaben auf Beas Personalbogen.

2.5

Personalbogen

Vorname: *Bea*

Familienname/Nachname: ____________

Adresse: ____________

Telefonnummer: ____________

Handynummer: ____________

E-Mail: ____________

b Spielen Sie die Szene zu zweit.

Kurz und klar

über Hobbys sprechen

Was machen Sie gern? / Was machst du gern? – Ich reise gern.
Hören Sie gern Musik? / Hörst du gern Musik? – Ja, sehr gern. Und Sie? / Und du?
Gehen Sie gern ins Kino? / Gehst du gern ins Kino? – Nicht so gern. Und Sie? / Und du?
Lesen Sie gern? / Liest du gern? – Es geht so.

sich verabreden

Gehen wir ins Kino? – Ja, gern.
Wann gehen wir ins Kino? – Am Montag.
Am Montag? – Nein, das geht leider nicht.
Am Freitag? – Ja, super.

über Arbeit und Berufe sprechen

Was sind Sie von Beruf? / Was bist du von Beruf? – Ich bin Student/Studentin/...
Wann arbeiten Sie? / Wann arbeitest du? – Ich arbeite am ...
Wann haben Sie frei? / Wann hast du frei? – Ich habe am ... frei. / Ich arbeite am ... nicht.

Zahlen ab 20

21 einundzwanzig
22 zweiundzwanzig
23 dreiundzwanzig
24 vierundzwanzig
25 fünfundzwanzig
26 sechsundzwanzig
27 siebenundzwanzig
28 achtundzwanzig
29 neunundzwanzig

30 dreißig
40 vierzig
50 fünfzig
60 sechzig
70 siebzig
80 achtzig
90 neunzig
100 (ein)hundert
200 zweihundert

1 000 (ein)tausend
3 000 dreitausend
4 520 viertausendfünfhundertzwanzig
10 000 zehntausend
74 300 vierundsiebzigtausenddreihundert
100 000 (ein)hunderttausend
200 000 zweihunderttausend
500 000 fünfhunderttausend
1 000 000 eine Million

Grammatik

Verben und Personalpronomen

Personalpronomen	spielen	arbeiten	lesen	sein	haben
ich	spiel**e**	arbeit**e**	les**e**	**bin**	hab**e**
du	spiel**st**	arbeit**est**	**liest**	**bist**	**hast**
er/es/sie	spiel**t**	arbeit**et**	**liest**	**ist**	**hat**
wir	spiel**en**	arbeit**en**	les**en**	**sind**	hab**en**
ihr	spiel**t**	arbeit**et**	les**t**	**seid**	hab**t**
sie/Sie	spiel**en**	arbeit**en**	les**en**	**sind**	hab**en**

Ja-/Nein-Frage

1	2	
Gehen	**wir**	ins Kino? – Ja. / Nein.

Artikel

maskulin	**der** Fußball
neutrum	**das** Hobby
feminin	**die** Stadt
Plural	**die** Bücher

Plural der Substantive

(¨) Ø	der Kilometer → die Kilometer
-(e)n	die Stunde → die Stunden / der Mensch → die Menschen
-(¨)e	der Tag → die Tage / der Arzt → die Ärzte
-(¨)er	das Buch → die Bücher
-s	das Auto → die Autos

Lernziele

Plätze und Gebäude benennen
Fragen zu Orten stellen
Texte einer Bildgeschichte zuordnen
Dinge erfragen
Verkehrsmittel benennen
nach dem Weg fragen und einen Weg beschreiben
Texte mit internationalen Wörtern verstehen
Artikel lernen

Grammatik

bestimmter Artikel *der, das, die*
unbestimmter Artikel *ein, ein, eine*
Negationsartikel *kein, kein, keine*
Imperativ mit *Sie*

____

Der Markt ist über 220 Jahre alt. Hier kann man fast alles kaufen, nicht nur Fisch. Pro Jahr kommen 5 Millionen Besucher.

In der Stadt

____

Das Rathaus in Hamburg besuchen jedes Jahr mehr als 100 000 Menschen aus aller Welt. Es ist über 110 Jahre alt. Das Rathaus ist 111 Meter breit und der Turm in der Mitte ist 112 Meter hoch.

____

2 Terminals, 60 Airlines und 125 Ziele auf der ganzen Welt, das ist der Hamburger Flughafen. Hier gibt es mehr als 60 Geschäfte und Restaurants.

1

der Hafen

12 000 Schiffe pro Jahr – das ist der Hamburger Hafen. Die Schiffe fahren in 900 Städte, in 175 Länder. Der Hafen liegt an der Elbe. Die Elbe ist ein großer Fluss. Bis zum Meer sind es circa 100 km.

Der Michel – eine Kirche – ist das Symbol von Hamburg. Hier ist Platz für 2500 Menschen. Der Turm ist 132 m hoch. In 82 Metern Höhe (nach 453 Stufen) ist eine Plattform. Von hier kann man den Hafen sehen.

In 8 Stunden nach Warschau, in 6 Stunden nach München, in 4 Stunden nach Kopenhagen, in 2 Stunden nach Berlin. Jeden Tag fahren am Hamburger Bahnhof 720 Züge.

1 a Hamburg. Hören Sie. Welches Foto passt? Nummerieren Sie die Fotos.

1.27

b Was ist das? Schreiben Sie die passenden Wörter zu den Fotos.

der Bahnhof • der Flughafen • der Fischmarkt • die Kirche • das Rathaus • ~~der Hafen~~

c Lesen Sie und ergänzen Sie die Zahlen.

Hamburg

Rathaus:	mehr als *100 000* ______ Menschen jährlich, über ______ Jahre alt, Turm ______ Meter hoch
Flughafen:	______ Terminals und ______ Ziele auf der ganzen Welt
Fischmarkt:	seit über ______ Jahren, jedes Jahr über ______ Besucher
Hafen:	______ Schiffe pro Jahr, fahren in ______ Länder
Kirche Michel:	Platz für ______ Menschen, Turm ______ Meter hoch, Plattform nach ______ Stufen
Bahnhof:	______ Züge pro Tag

d Sammeln Sie Informationen und Zahlen über Ihre Stadt oder Ihren Ort. Bringen Sie auch Fotos mit.

Lissabon/Lisboa
Flughafen:
2 Terminals, über 13 000 000 Passagiere
Hafen:
über 10 km lang, Platz für 1100 Schiffe
Ponte Vasco da Gama:
über 17 km lang

Die Taxifahrt

2 1.28

a Der Weg zum Hotel. Hören Sie. Welche Orte nennt der Taxifahrer? Kreuzen Sie an.

	richtig	falsch
Bahnhof	☐	☐
Hafen	☐	☐
Fluss	☐	☐
Flughafen	☐	☐
Rathaus	☐	☐
Kirche	☐	☐

b Lesen Sie den Dialog. Kontrollieren Sie Ihre Antworten in 2a.

1.29

- ◆ Guten Tag. Fahren Sie mich zum Hotel Michel bitte.
- ◆ Moin. Hotel Michel, okay. Kennen Sie Hamburg?
- ◆ Nein.
- ◆ Aha. Na, das ist also der Bahnhof.
  Er ist über 100 Jahre alt.
- ◆ Ah ja.
- ◆ Und das hier ist die Kunsthalle.
  Das ist ein großes Museum.
- ◆ Interessant. Und wie heißt der See?
- ◆ Das? Das hier ist kein See, das ist ein Fluss:
  Der Fluss heißt Alster.
- ◆ Ach so. Und was ist das? Ist das eine Kirche?
- ◆ Nein, das ist das Rathaus.
- ◆ Ah ja.
- ◆ Aber das ist eine Kirche. Das ist die Michaeliskirche.
  Wir sagen „der Michel".
  Da vorne ist die Winckler Straße. Da ist das Hotel.
- ◆ Ah, sehr schön.

Gut gesagt: grüßen
So sagt man auch für „Guten Tag!" in Deutschland, Österreich und der Schweiz:

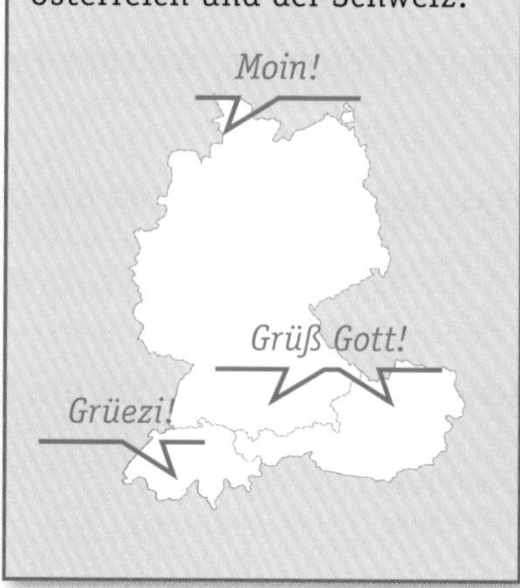

c *der, das* oder *die*? Suchen Sie in 2b und ergänzen Sie.

maskulin	*der* Bahnhof,	________ Fluss
neutrum	________ Rathaus,	________ Hotel
feminin	________ Kirche,	________ Straße

3.6

3

Artikel. Sammeln Sie Substantive aus den Kapiteln 1 bis 3. Bilden Sie drei Gruppen: Gruppe *der*, Gruppe *das*, Gruppe *die*. Eine Person nennt ein Substantiv, die Gruppe mit dem passenden Artikel steht auf und sagt den Artikel.

4

a *ein, ein, eine* oder *der, das, die*? Vergleichen Sie die Sätze und ergänzen Sie.

	unbestimmter Artikel	bestimmter Artikel
maskulin	Das ist **ein** Bahnhof.	Das ist _der_ Bahnhof von Hamburg.
neutrum	Das ist **ein** Hotel.	_____ Hotel heißt Wagner.
feminin	Das ist **eine** Straße.	_____ Straße heißt Müllerstraße.
Plural	Das sind ▪ Schiffe.	_____ Schiffe sind im Hafen.
	neu / nicht bekannt	**bekannt**

b **Was ist das?**

1. ◆ Ist das _ein_ Hotel? ◆ Ja, _____ Hotel heißt Wagner.
2. ◆ Ist das _____ Fluss? ◆ Ja, _____________ _____________.
3. ◆ Ist das _____ Kirche? ◆ Ja, _____________ _____________.
4. ◆ Sind das _____ Fotos? ◆ Ja, _____________ sind von Hamburg.

c **Ergänzen Sie. Lesen Sie den Dialog zu zweit.**

1. Was ist das? Ist das _ein_ Hotel? – Ja. Das ist _____ Hotel Hafenstraße.
2. Und was ist das, ist das _____ See? – Nein, das ist _____ Fluss. _____ Fluss heißt Alster.

d **Schreiben Sie eigene Dialoge wie in Aufgabe 4c und spielen Sie.**

5

a **Vokale. Lang oder kurz? Hören Sie die Wörter und markieren Sie _ für lang und . für kurz.**

1.30

a oder ạ: Name – Hafen – hallo – danke – malen – Sprache
e oder ẹ: lesen – lernen – sprechen – gern
i oder ị: Sie – sind – singen – wie – bist – buchstabieren
o oder ọ: wohnen – Morgen – kommen – Montag – Foto
u oder ụ: Fluss – gut – Fußball – Russland – Beruf

b **Hören Sie noch einmal. Langer Vokal: kreisen Sie die Arme. Kurzer Vokal: klopfen Sie auf den Tisch.**

1.30

Kein Glück?!

6 a Eine Bildgeschichte. Sammeln Sie Wörter an der Tafel.

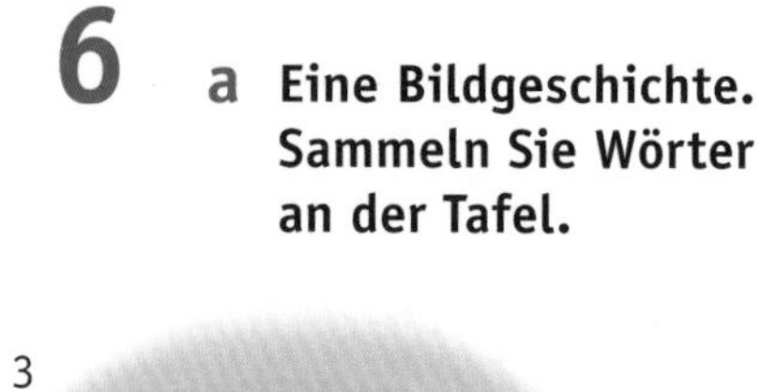

1

2

3

4

5

6

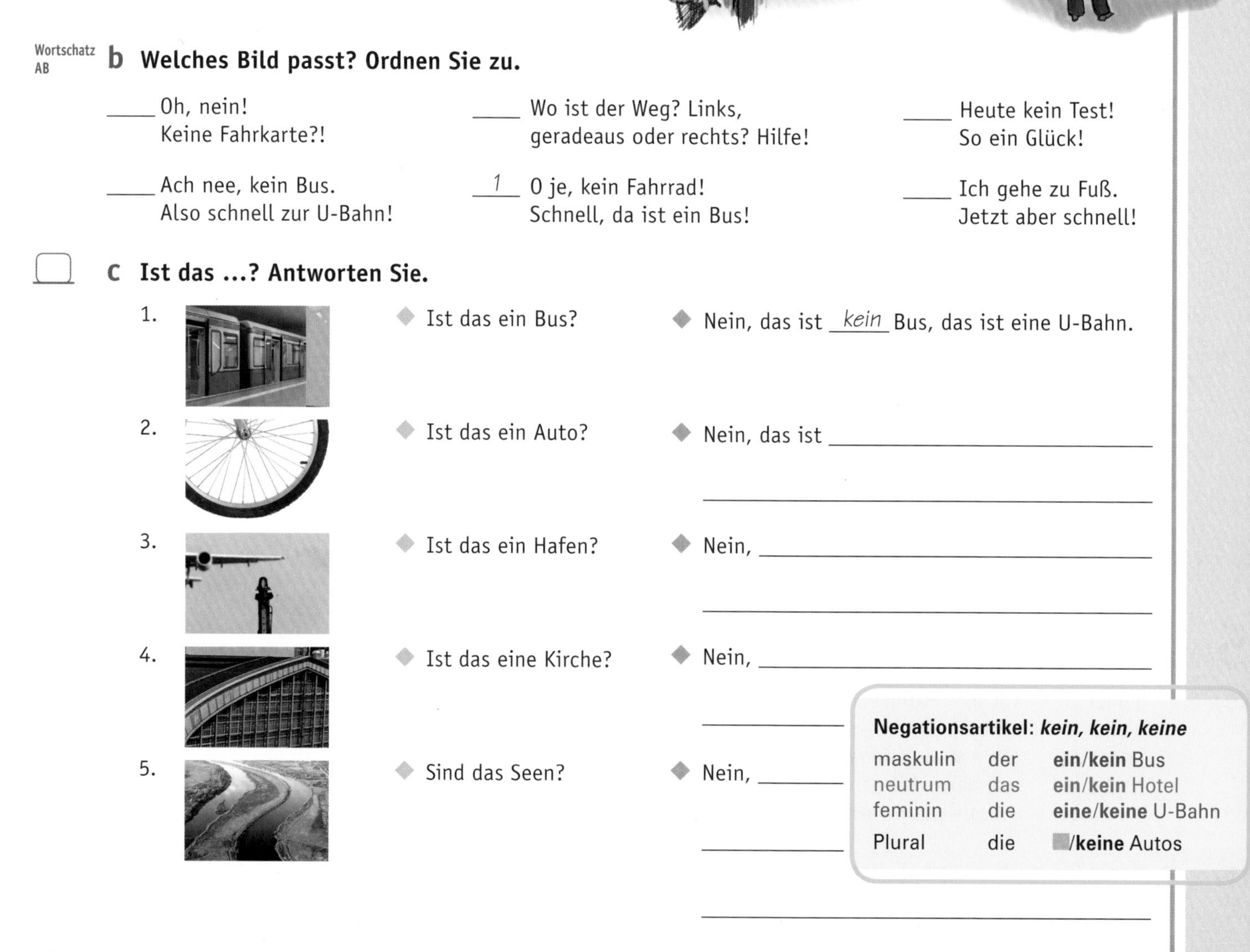

Wortschatz AB

b Welches Bild passt? Ordnen Sie zu.

___ Oh, nein! Keine Fahrkarte?!

___ Ach nee, kein Bus. Also schnell zur U-Bahn!

___ Wo ist der Weg? Links, geradeaus oder rechts? Hilfe!

_1_ O je, kein Fahrrad! Schnell, da ist ein Bus!

___ Heute kein Test! So ein Glück!

___ Ich gehe zu Fuß. Jetzt aber schnell!

c Ist das ...? Antworten Sie.

1. ◆ Ist das ein Bus? ◆ Nein, das ist _kein_ Bus, das ist eine U-Bahn.
2. ◆ Ist das ein Auto? ◆ Nein, das ist ___________
3. ◆ Ist das ein Hafen? ◆ Nein, ___________
4. ◆ Ist das eine Kirche? ◆ Nein, ___________
5. ◆ Sind das Seen? ◆ Nein, ___________

Negationsartikel: *kein, kein, keine*

maskulin	der	**ein**/**kein** Bus
neutrum	das	**ein**/**kein** Hotel
feminin	die	**eine**/**keine** U-Bahn
Plural	die	■/**keine** Autos

Links, rechts, geradeaus

7 1.31

a Die Wegbeschreibung. Hören Sie. Auf welchem Platz ( ) sind die Personen? Was sucht der Mann? Markieren Sie im Plan.

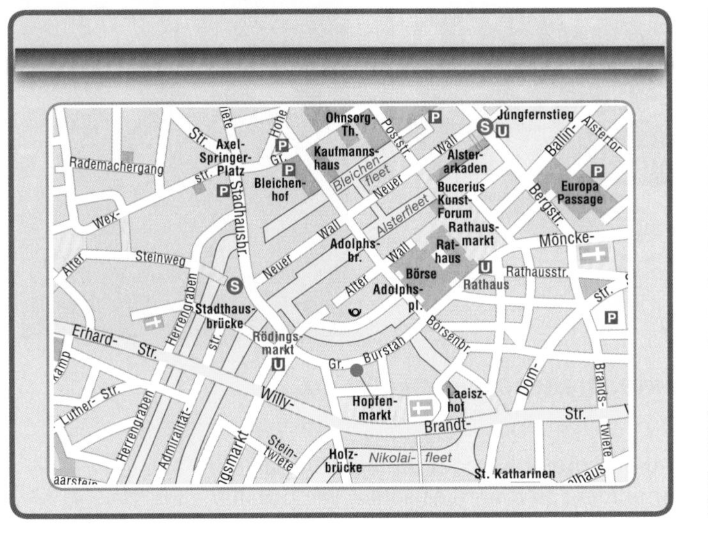

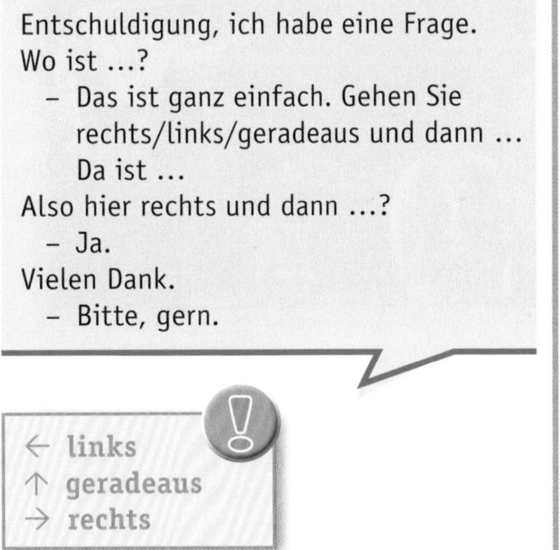

← links
↑ geradeaus
→ rechts

1.31

b Hören Sie noch einmal. Zeichnen Sie den Weg in den Plan.

8

Nach dem Weg fragen. Spielen Sie zu zweit. Jeder würfelt zwei Mal, das erste Mal für den Start, das zweite Mal für das Ziel.

	⚀	⚁	⚂	⚃	⚄	⚅
Start	①	②	③	④	⑤	⑥
Ziel	Hotel	Bahnhof	Hafenstraße	Park	U-Bahn	Markt

Beispiel: ⚁ und ⚃ : Startpunkt ② → Park

Entschuldigung. Wo ist der Park?

Gehen Sie rechts und dann geradeaus. Da ist der Park.

Vielen Dank!

① ② ③ ④ ⑤ ⑥
Bahnhof
Kirche
Park
Marktplatz
Hotel
Rathaus
Hafenstraße

3.7

Imperativ mit *Sie*

gehen →	**Gehen**	**Sie**	links!
fahren →	**Fahren**	**Sie**	rechts!

Events in Hamburg

1 2 3

9

a Theater – Musik – Film. Lesen Sie die Texte. Ordnen Sie die Fotos zu.

Hamburger Theater-Festival 12.–18. Okt.
In Hamburg spielen das Wiener Burgtheater und drei große Berliner Bühnen zusammen: das Deutsche Theater, das Maxim Gorki Theater und das Berliner Ensemble. Fritzi Haberlandt und Klaus-Maria Brandauer sind die Stars. Tickets: Thalia-Theater und Hamburger Schauspielhaus, ab 12,50 Euro. **www.hamburgertheaterfestival.de**

Jeans-Konzert der Hamburger Symphoniker 27. Okt.
Klassik mal anders: Beim Jeans-Konzert kombiniert das Orchester Leoš Janáčeks Sinfonien mit klassischem Rock. Dresscode? Nein, danke. Alles ist okay – von der Jeans bis zum Cocktailkleid. Laeiszhalle, 19.30 Uhr, ab 10 Euro. **www.elbphilharmonie.de**

Filmfest Hamburg 24.9.–3.10.
Dieses Jahr heißt das Motto des Hamburger Filmfestes: „Metropolen". Es gibt zwölf Filme über das Leben in modernen Großstädten. Eröffnung mit dem Film „Soul Kitchen" von Fatih Akın.
www.filmfest-hamburg.de

b Welche Wörter sind in Ihrer Sprache oder in anderen Sprachen ähnlich? Markieren Sie.

1.32

c Notieren Sie das deutsche Wort. Schreiben Sie das Wort auch in Ihrer Sprache. Hören Sie die deutschen Wörter.

Englisch	Französisch	Deutsch	Ihre Sprache
the festival	le festival		
the star	la star		
the concert	le concert		
the orchestra	l'orchestre		
the film	le film		
the motto	la devise		
metropolis	la métropole		

d Welche anderen internationalen Wörter finden Sie im Text?

Artikel lernen

10 a Wörterbücher. Sehen Sie die Beispiele an. Wo steht der Artikel? Markieren Sie.

Schiff *das; -(e)s, -e;* ein großes Fahrzeug für das Wasser, auf dem Menschen od. Waren transportiert werden

Bus *der; -ses, -se;* ein langes u. großes Fahrzeug mit vielen Sitzplätzen, in dem Fahrgäste befördert werden ≈ Omnibus, Autobus

r **Arzt** *; ⸗e*

Schule [ˈʃuːlə] *f* school

Stadt *f* <~; ~"e> ciudad

Meer *n* mare *m*

b Schreiben Sie die Wörter in die Tabelle.

der (maskulin)	das (neutrum)	die (feminin)

11 Das Artikel-Bild. Schreiben Sie die Wörter mit Artikel in die Zeichnung.

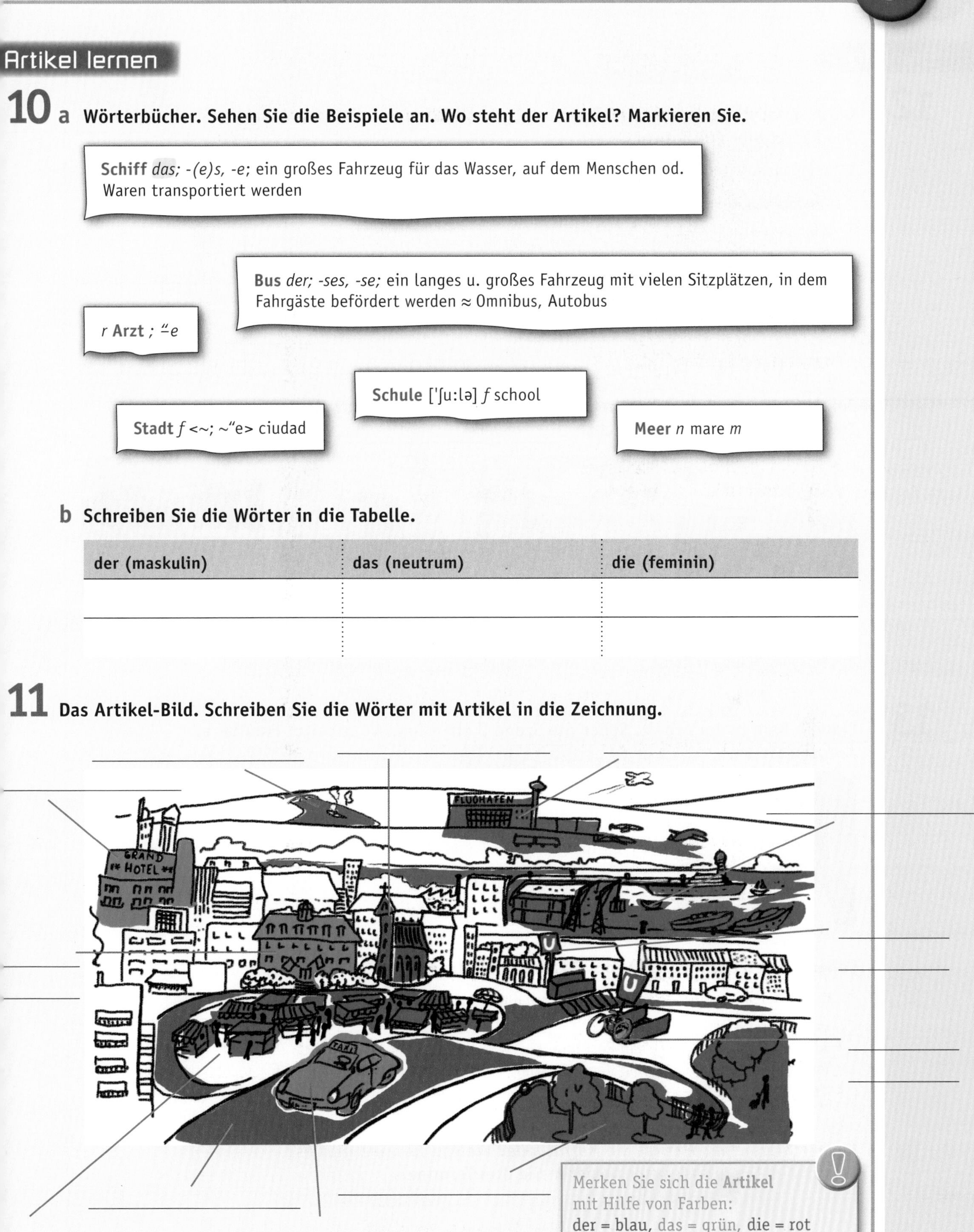

Merken Sie sich die **Artikel** mit Hilfe von Farben:
der = blau, das = grün, die = rot

Der Film

12 a Die Autofahrt. Sehen Sie die Bilder in 12b an. Kennen Sie die Stadt? Welche Stadt ist das? Das Rätsel gibt die Antwort.

1 September, Oktober, ...
2 „Auf Wiedersehen!" – Wie sagen Sie noch?
3 Wie heißen Sie? – Mein ... ist Martin.
4 Ich lese gern ... (Plural)
5 Hier fahren Züge.
6 *Architekt* ist ein ...
7 Samstag und Sonntag

b Sehen Sie Szene 6. Welche Überschrift passt zu welchem Bild? Notieren Sie die Nummer. Zwei Überschriften passen nicht.

3.6

1

2

3

4

die Theatinerkirche ____ der Hauptbahnhof ____ der Viktualienmarkt ____
das Museum: Haus der Kunst ____ der Marienplatz ____ der Karlsplatz/Stachus ____

13 a Claudia Berg in der Arbeit. Sehen Sie Szene 7 ohne Ton. Wo arbeitet Frau Berg? Kreuzen Sie an.

3.7

- ☐ Im Hotel.
- ☐ Im Restaurant.
- ☐ Im Theater.
- ☐ Im Büro.

b Sehen Sie jetzt Szene 7 mit Ton. Welche Antwort ist richtig? Kreuzen Sie an.

3.7

1. Der Mann ...
   - ☐ ist neu im Hotel.
   - ☐ wohnt schon drei Tage im Hotel.
   - ☐ kennt München gut.
2. Was sucht der Mann?
   - ☐ Ein Taxi.
   - ☐ Ein Restaurant.
   - ☐ Ein Konzert, Kino oder Theater.
3. Wie fährt der Mann zur Muffathalle?
   - ☐ Mit dem Taxi.
   - ☐ Mit der Straßenbahn.
   - ☐ Mit dem Bus.
4. Welcher Weg ist richtig? Haltestelle *Am Gasteig*, dann 200 Meter ...
   - ☐ rechts, dann geradeaus.
   - ☐ geradeaus, dann rechts.
   - ☐ links, dann rechts.

c Recherchieren Sie: Was ist die *Muffathalle*? Welche Termine gibt es? Was finden Sie interessant? Notieren Sie drei Termine.

Kurz und klar

Fragen zu Orten stellen und antworten

Was ist das? – Das ist der Hafen / ...
Ist das ein Markt? – Ja. / Ja, das ist der Fischmarkt / ...
Ist das ein Hotel? – Nein, das ist das Rathaus / ...
Ist das eine Kirche? – Ja. / Ja, das ist die Michaelskirche / ...

Dinge erfragen

Ist das ein Bus / ein Auto / eine U-Bahn? – Ja, das ist ein ... / eine ...
– Nein, das ist kein ... / keine ...

nach dem Weg fragen und einen Weg beschreiben

Entschuldigung, ich habe eine Frage. – Ja gern.
(Entschuldigung). Wo ist ...? – Das ist ganz einfach. Gehen Sie rechts/links/geradeaus und dann ... Da ist ...
Also hier rechts und dann ...? – Ja.
Vielen Dank. – Bitte, gern.

Grammatik

Unbestimmter Artikel und bestimmter Artikel

	ein, ein, eine	**der, das, die**
maskulin	Das ist **ein** Bahnhof.	Das ist **der** Bahnhof von Hamburg.
neutrum	Das ist **ein** Hotel.	**Das** Hotel heißt „Wagner“.
feminin	Das ist **eine** Straße.	**Die** Straße heißt „Müllerstraße“.
Plural	Das sind ■ Schiffe.	**Die** Schiffe sind im Hafen.
	neu / nicht bekannt	**bekannt**

Negationsartikel

kein, kein, keine
Das ist **kein** Bahnhof.
Das ist **kein** Hotel.
Das ist **keine** Straße.
Das sind **keine** Schiffe.

Imperativ mit *Sie*

	1	2	
gehen ▷	**Gehen**	**Sie**	links.
fahren	**Fahren**	**Sie**	rechts.

Unregelmäßige Verben

	fahren	**geben**	**lesen**	**sprechen**
ich	fahr**e**	geb**e**	les**e**	sprech**e**
du	**ä**hr**st**	g**i**b**st**	l**ie**st	spr**i**ch**st**
er/es/sie	f**ä**hr**t**	g**i**b**t**	l**ie**s**t**	spr**i**ch**t**
wir	fahr**en**	geb**en**	les**en**	sprech**en**
ihr	fahr**t**	geb**t**	les**t**	sprech**t**
sie	fahr**en**	geb**en**	les**en**	sprech**en**
Sie	fahr**en**	geb**en**	les**en**	sprech**en**

Wiederholungsspiel

1 **Spielen Sie zu dritt oder zu viert.**

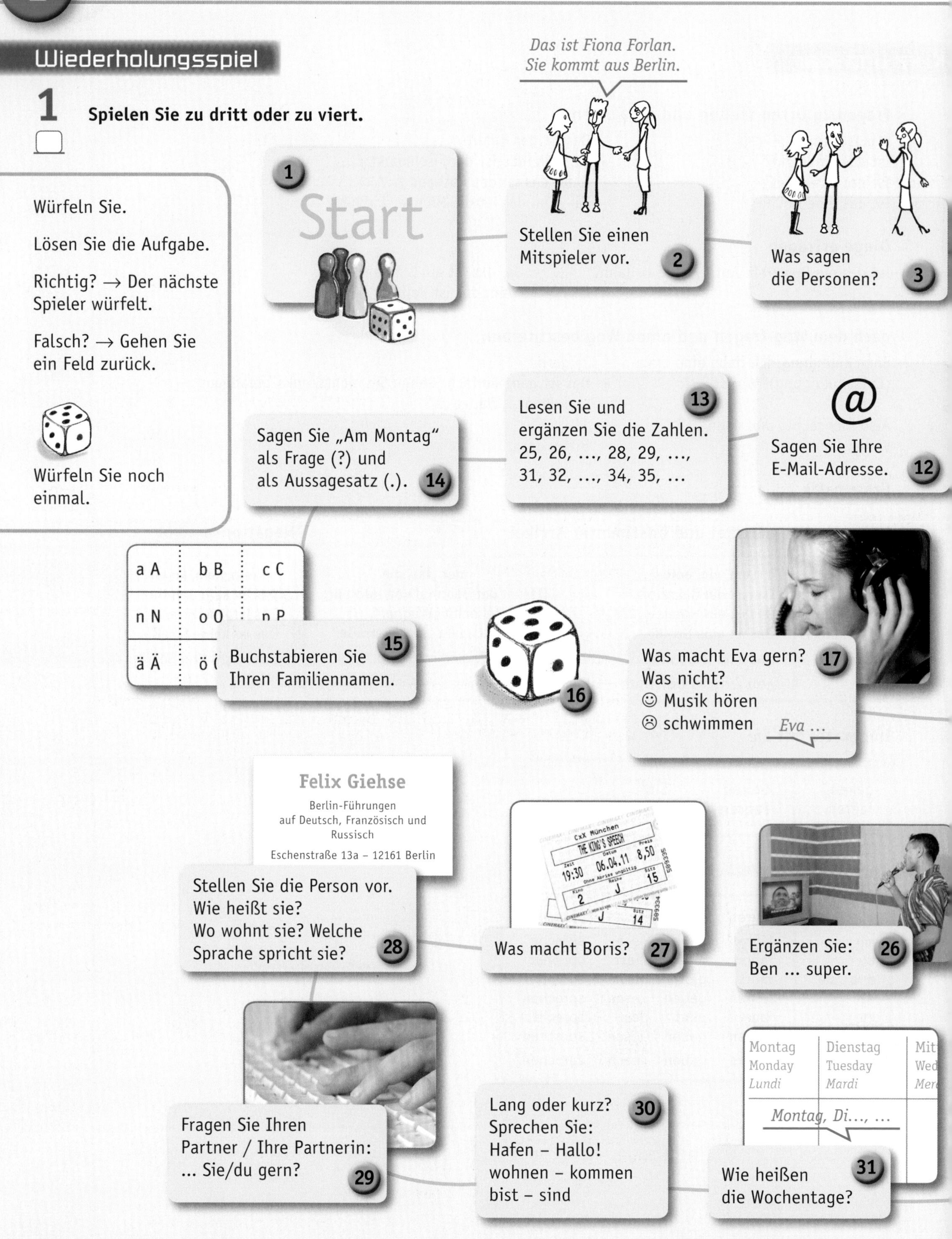

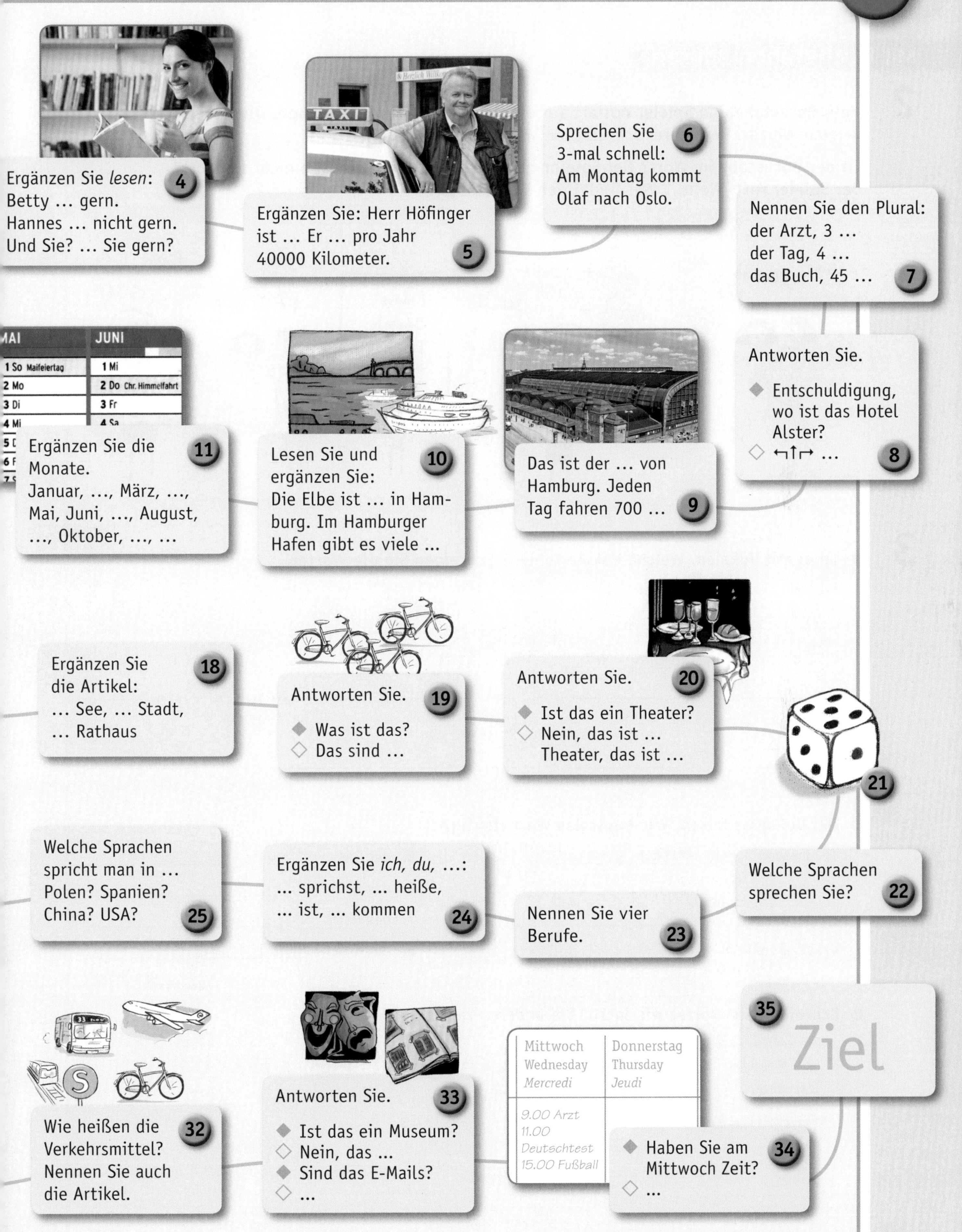
Ergänzen Sie *lesen*: 4
Betty ... gern.
Hannes ... nicht gern.
Und Sie? ... Sie gern?
TAXI
Ergänzen Sie: Herr Höfinger ist ... Er ... pro Jahr 40000 Kilometer. 5
Sprechen Sie 3-mal schnell: Am Montag kommt Olaf nach Oslo. 6
Nennen Sie den Plural: 7
der Arzt, 3 ...
der Tag, 4 ...
das Buch, 45 ...
Antworten Sie. 8
◆ Entschuldigung, wo ist das Hotel Alster?
◇ ↰↑↱ ...
Das ist der ... von Hamburg. Jeden Tag fahren 700 ... 9
Lesen Sie und ergänzen Sie: 10
Die Elbe ist ... in Hamburg. Im Hamburger Hafen gibt es viele ...
MAI
1 So Maifeiertag
2 Mo
3 Di
4 Mi
JUNI
1 Mi
2 Do Chr. Himmelfahrt
3 Fr
4 Sa
Ergänzen Sie die Monate. 11
Januar, ..., März, ..., Mai, Juni, ..., August, ..., Oktober, ..., ...
Ergänzen Sie die Artikel: 18
... See, ... Stadt, ... Rathaus
Antworten Sie. 19
◆ Was ist das?
◇ Das sind ...
Antworten Sie. 20
◆ Ist das ein Theater?
◇ Nein, das ist ... Theater, das ist ...
21
Welche Sprachen sprechen Sie? 22
Nennen Sie vier Berufe. 23
Ergänzen Sie *ich, du, ...*: 24
... sprichst, ... heiße, ... ist, ... kommen
Welche Sprachen spricht man in ... Polen? Spanien? China? USA? 25
S
Wie heißen die Verkehrsmittel? Nennen Sie auch die Artikel. 32
Antworten Sie. 33
◆ Ist das ein Museum?
◇ Nein, das ...
◆ Sind das E-Mails?
◇ ...
Mittwoch
Wednesday
Mercredi
9.00 Arzt
11.00 Deutschtest
15.00 Fußball
Donnerstag
Thursday
Jeudi
◆ Haben Sie am Mittwoch Zeit? 34
◇ ...
35
Ziel

Mit Buchstaben spielen

2 **Mein Buchstabe. Ein Spieler notiert auf einem Zettel einen Buchstaben. Die anderen nennen Wörter. Der Lehrer schreibt die Wörter an die Tafel.**

Ist der Buchstabe im Wort? Der Spieler ruft „Ja!". Ist der Buchstabe nicht im Wort? Der Spieler ruft „Nein!". Wer findet den Buchstaben?

3 **a** **Spiel mit Vokalen. Welche Vokale fehlen? Schreiben Sie die Wörter.**

N … M …	H … R … N	L … N D	W … C H …	L … S … N
der Name	*hören*			
K … N …	G … H … N	H … T … L	T … X …	C H … T T … N
M … N T … G	F … T …	M … …	K … C H … N	H … F … N

b **Der Vokal ist falsch. Wie heißt das Wort richtig?**

1. der Wog *der Weg*
2. das Jihr ______
3. das Lund ______
4. der Bohnhef ______
5. der Bas ______
6. das Boch ______
7. das Hatil ______
8. die A-Behn ______

c **Schreiben Sie Wörter wie in 3b. Die anderen raten.**

Personen-Memory

4 a Welche Personen haben den gleichen Beruf? Finden Sie die Paare.

Christoph Waltz ist aus Österreich und in Hollywood populär – er hat auch schon einen Oscar. Er ist Theater- und Filmschauspieler und lebt in Berlin und London.

Marcus H. Rosenmüller kommt aus Bayern und macht (bayerische) Filme für Kino und Fernsehen. Populär ist er aber in ganz Deutschland. Seine Filme sind meistens lustig.

Anke Engelke hat viele Talente: Sie singt, ist Schauspielerin und Komikerin – und spricht Marge Simpson auf Deutsch. Sie ist verheiratet und hat drei Kinder.

Magdalena Neuner hat zu Hause über 20 Goldmedaillen. Sie ist Biathletin und liebt Sport, Musik und – stricken.

Mario Barth ist Berliner und Komiker. Er hat eine TV-Show und macht Tourneen in Deutschland. Er ist sehr bekannt.

Caroline Link hat einen Oscar – für den Film „Nirgendwo in Afrika". Ihr Mann Dominik Graf ist auch Regisseur. Sie leben in München.

Birgit Minichmayr ist ein neuer Star aus Österreich. Sie spielt im Film und am Burgtheater in Wien. Sie lebt in Wien und in Berlin.

Er spielt rechts – und das perfekt. Roger Federer ist Tennisspieler und gewinnt viele Turniere. Er wohnt mit seiner Frau und seinen Kindern in Basel.

b Welche bekannten Deutschen, Österreicher oder Schweizer kennen Sie noch? Sammeln Sie im Kurs.

Sebastian Vettel ist Formel-1-Fahrer. Er ist Weltmeister und sehr berühmt. Er lebt …

c Wählen Sie eine Person aus b. Recherchieren Sie und schreiben Sie einen kurzen Text. Bringen Sie auch ein Foto mit. Machen Sie im Kursraum eine Galerie.

Guten Appetit!

Lernziele

über Essen sprechen
einen Einkauf planen
Gespräche beim Einkauf führen
Gespräche beim Essen führen
mit W-Fragen Texte verstehen
Wörter ordnen und lernen

Grammatik

Positionen im Satz
Akkusativ
Verben mit Akkusativ

1 Wortschatz AB

a Lebensmittel. Welche Wörter kennen Sie auf Deutsch? Verbinden Sie.

b Welche Wörter sind in Ihrer Muttersprache ähnlich? Sammeln Sie im Kurs.

Deutsch	Russisch	Finnisch	Englisch	Spanisch	Türkisch	Ihre Sprache
die Banane	*banan*	*banaani*	*the banana*	*el plátano* *el banano*	*muz*	
die Tomate	*pomidor*	*tomaati*	*the tomato*	*el tomate*	*domates*	

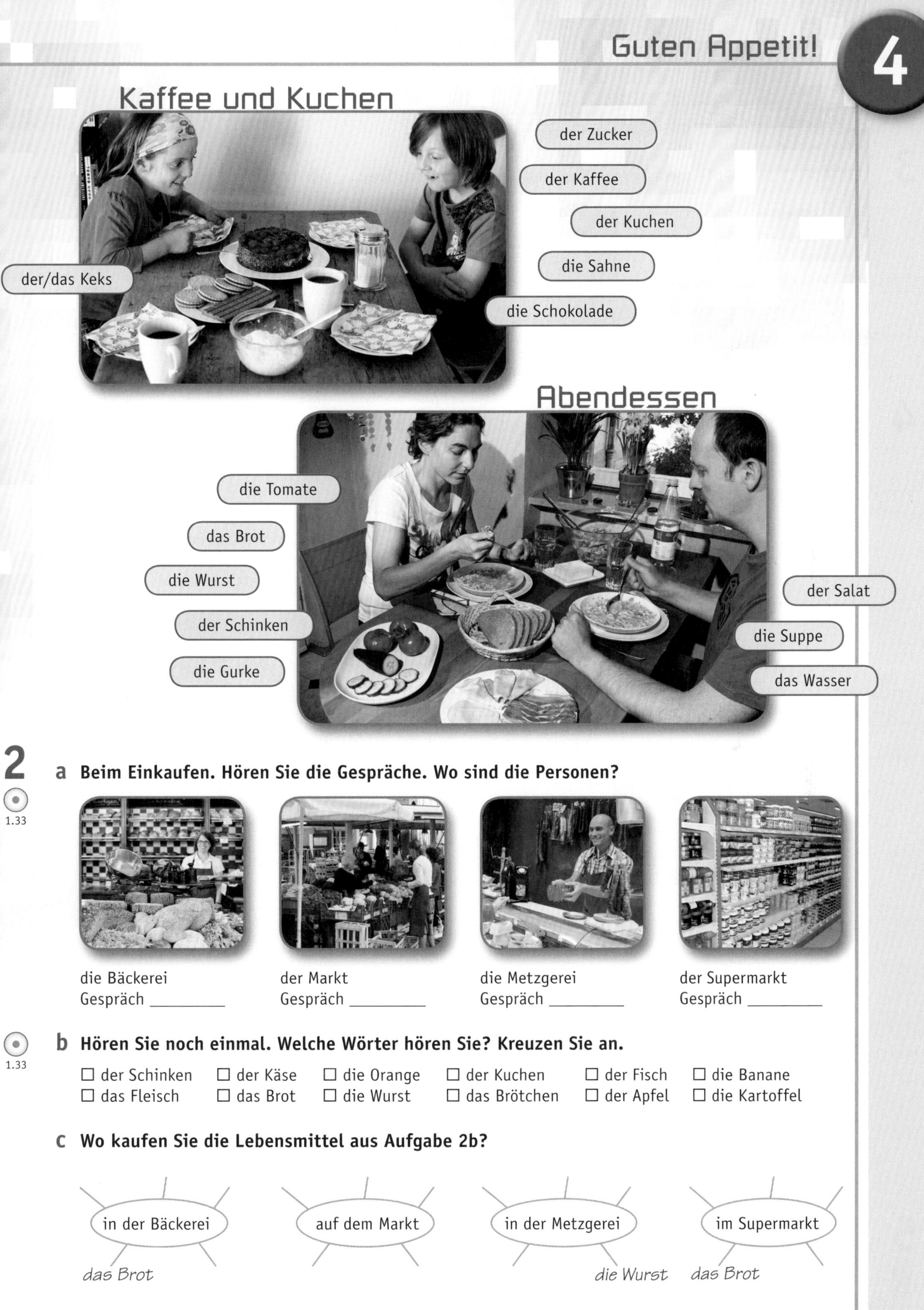

Kaffee und Kuchen

der Zucker
der Kaffee
der Kuchen
die Sahne
die Schokolade
der/das Keks

Abendessen

die Tomate
das Brot
die Wurst
der Schinken
die Gurke
der Salat
die Suppe
das Wasser

2 **a** **Beim Einkaufen. Hören Sie die Gespräche. Wo sind die Personen?**

1.33

die Bäckerei	der Markt	die Metzgerei	der Supermarkt
Gespräch ________	Gespräch ________	Gespräch ________	Gespräch ________

b **Hören Sie noch einmal. Welche Wörter hören Sie? Kreuzen Sie an.**

1.33

☐ der Schinken ☐ der Käse ☐ die Orange ☐ der Kuchen ☐ der Fisch ☐ die Banane
☐ das Fleisch ☐ das Brot ☐ die Wurst ☐ das Brötchen ☐ der Apfel ☐ die Kartoffel

c **Wo kaufen Sie die Lebensmittel aus Aufgabe 2b?**

in der Bäckerei – *das Brot*
auf dem Markt
in der Metzgerei – *die Wurst*
im Supermarkt – *das Brot*

Frühstück, Mittagessen, Abendessen

3 **Ein Apfel, zwei Äpfel. Was essen Tim und Tom? Erzählen Sie.**

Tim *Tom*

Eier • Brötchen • Kekse • Ei • Brötchen • Bananen • Apfel • Kiwi • Äpfel • Kiwis • Keks • Banane

Tim isst ein Ei, Tom isst drei Eier.

4 **a** **Eine Umfrage: „Was essen Sie?“. Arbeiten Sie zu dritt. Jeder liest einen Text und macht Notizen.**

WAS ESSEN SIE?

Familie Hepp

Wir frühstücken zusammen. Mein Mann und ich essen Brot mit Käse oder Wurst, Anna isst Müsli mit Milch. Mittags essen Anna und ich warm. Oft essen wir Nudeln oder eine Suppe. Nikolaj isst in der Arbeit nur ein Brötchen. Abends um sieben essen wir dann alle zusammen: Fisch oder Fleisch mit Gemüse und Reis oder Kartoffeln. Wir trinken gern Saft und Wasser.

Zum Frühstück esse ich zwei Brötchen mit Butter, Käse und Wurst. Am Wochenende frühstücke ich nicht – ich schlafe lang. Am Mittag kaufe ich einen Döner oder eine Pizza, ich habe nur wenig Zeit. Am Abend koche ich oft Fisch, manchmal mache ich auch Sushi. Ich finde asiatisches Essen toll!

Lars Baumeister

Sabine Olt

Zum Frühstück esse ich nur Obst: Äpfel, Birnen oder Kiwis. Obst schmeckt gut und ist gesund. Das finde ich wichtig! Am Vormittag esse ich dann ein Stück Kuchen. Aber mittags esse ich nichts. Abends esse ich gern Brot, Salat oder eine Suppe. Und Kaffee trinke ich immer viel, den ganzen Tag. Kaffee mit Zucker, ohne Zucker geht es nicht!

	morgens	mittags	abends
Familie Hepp	Brot mit Käse oder …	Nudeln, …	…

Positionen im Satz

	2	
Anna	isst	morgens Müsli.
Morgens	isst	**Anna** Müsli.

b **Was essen und trinken die Personen? Erzählen Sie.**

Morgens isst Anna …

Anna und Maria essen mittags …

c **Was essen Sie zum Frühstück, Mittagessen und Abendessen?**

Machen Sie ein Partnerinterview. Schreiben Sie dann einen Text über Ihren Partner / Ihre Partnerin. Er/Sie kontrolliert den Text.

5 **Bilden Sie Gruppen. Jede Gruppe macht ein Poster zu einer Mahlzeit.**

Die Grillparty

6 **a Die Einladung. Lesen Sie die SMS. Welche Antwort passt?**

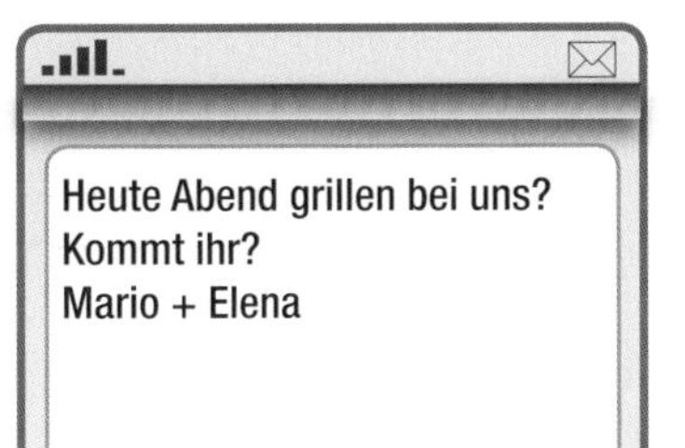

A Danke für die Einladung. Morgen haben wir keine Zeit. Aber vielleicht am Wochenende?
B Gern. Wir kommen und bringen das Fleisch mit. Bis später!
C Wo seid ihr? Wir warten schon – das Essen ist gleich fertig.

1.34

b Mario und Elena planen das Abendessen. Hören Sie und lesen Sie das Telefongespräch. Ergänzen Sie die Einkaufszettel.

- ◆ Wir machen den Salat und kaufen die Getränke und Katrin und Lukas kaufen das Fleisch und die Würstchen.
- ◆ Okay. Was brauchen wir denn noch für den Salat? Haben wir alles?
- ◆ Moment ... Karotten, Salz und Essig haben wir. Wir brauchen Tomaten, Oliven, Öl, eine Gurke und Getränke. Ach, und ein Stück Käse! Wir haben keinen Käse mehr.
- ◆ Gut. Ich gehe zum Markt und kaufe das Öl, die Tomaten, die Gurke und die Oliven. Und ein Brot nehme ich auch mit.
- ◆ Prima. Ich kaufe den Käse und die Getränke im Supermarkt.
- ◆ ...

Käse | Öl

4.8

c Was machen Mario und Elena nach dem Einkauf?

d Akkusativ. Unterstreichen Sie die Artikel in Aufgabe b. Ergänzen Sie die Tabelle.

Nominativ		**Akkusativ**
Der Käse ist gut.	Ich kaufe den Käse.	den / **einen** / _______ Käse
Das Brot ist teuer.	Sie kauft das Brot.	_______ / _______ / **kein** Brot
Die Gurke ist billig.	Ich kaufe die Gurke.	_______ / _______ / **keine** Gurke
Die Tomaten sind gut.	Ich kaufe die Tomaten.	_______ / ■ / **keine** Tomaten

7 **Zusammen kochen. Arbeiten Sie zu viert. Was kochen Sie? Planen Sie den Einkauf.**

- Was brauchen Sie für das Essen? Schreiben Sie einen Einkaufszettel.
- Wer kauft was? Wer kocht?

Verben mit Akkusativ

Wir	**brauchen**	eine Gurke.
	haben	keinen Käse.
	machen	einen Salat.
	kochen	keine Suppe.
	essen	das Fleisch.
	kaufen	die Getränke.

Einkaufen im Supermarkt

8 1.35 Wortschatz AB

a Entschuldigung, was kostet das? Hören Sie und lesen Sie. Welches Bild passt zu welchem Dialog?

Preise sprechen
0,99 Euro → 99 Cent
1,09 Euro → ein Euro neun
2,20 Euro → zwei Euro zwanzig

1. ◆ Entschuldigung, ich brauche einen Euro für den Einkaufswagen. Können Sie wechseln, bitte?
   ◆ Ja, Moment – hier bitte.
   ◆ Danke.

   Bild _____

2. ◆ Entschuldigung, was kostet der Apfelsaft?
   ◆ 99 Cent.
   ◆ Und wie viel kostet der Orangensaft?
   ◆ 1,09 Euro.

   Bild _____

B

C

3. ◆ Wer kommt dran?
   ◆ Ich, bitte.
   ◆ Was möchten Sie?
   ◆ Ich möchte ein Stück Emmentaler, bitte.
   ◆ Sonst noch etwas?
   ◆ Ja, ich nehme noch 150 Gramm Schinken.
   ◆ Ist das alles?
   ◆ Ja, danke.

   Bild _____

E

D

4. ◆ Entschuldigung, wo finde ich Reis?
   ◆ Dort rechts.
   ◆ Danke.

   Bild _____

5. ◆ Ich brauche noch eine Tüte, bitte.
   ◆ Hier bitte. Die kostet 15 Cent. Das macht dann 18,65 Euro. Brauchen Sie den Kassenzettel?
   ◆ Ja, bitte.

   Bild _____

4.9

b Variieren Sie die Dialoge aus 8a.

Entschuldigung, was kostet die Limonade?

88 Cent.

9 1.36

a Umlaute ä – ö – ü. Hören Sie und sprechen Sie nach.

Apfel – Äpfel, Saft – Säfte, Brot – Brötchen
Ich esse viel Gemüse. – Wir frühstücken zusammen. – Wir brauchen Öl. – Ich kaufe Käse.

1.37

b Hören Sie ein Wort mit Umlaut? Stehen Sie schnell auf. Sprechen Sie dann die Wörter nach.

Schmeckt's?

10 a Das Essen. Hören Sie und lesen Sie. Welches Foto passt zu welchem Dialog?

1.38

C

1 ______
◆ Guten Appetit!
◆ Danke, gleichfalls!
... Mmh, das Fleisch ist gut!
◇ Ja, das Fleisch schmeckt sehr gut.

2 ______
◆ Möchtest du Salat?
◆ Nein, danke. Ich esse keine Tomaten.

3 ______
◆ Möchtet ihr noch ein Würstchen?
◆ Ja, gerne, die Würstchen sind wirklich lecker.
◆ Und du, Mario?
◇ Nein, danke, ich bin satt.

1.39

Gut gesagt: Prost!

Prost!
Zum Wohl!

Guten Appetit!

Mahlzeit!

b Spielen Sie Dialoge.

Guten Appetit!	– Danke, gleichfalls!
Möchtest du (noch) ...?	– Ja, bitte. ... schmeckt/schmecken sehr gut.
Möchtet ihr (noch) ...?	– Ja, gerne. ... ist/sind sehr lecker.
	– Nein, danke. Ich esse keinen/kein/keine ...
	– Nein, danke. Ich bin satt.

11 a Ich mag keinen Fisch. Hören Sie und ergänzen Sie.

1.40–42

1. Der Mann mag keinen ______________________.
2. Die Frau trinkt gern ______________________.
3. Die Frau isst gern ______________________.

mögen
ich mag
du mag**st**
er/es/sie mag
Sie mög**en**

b Was essen und trinken Sie gern? Machen Sie ein Interview mit Ihrem Partner / Ihrer Partnerin und berichten Sie.

?	☺	☹
Essen/Trinken Sie gern ...?	– Ja, sehr gern.	– Nein, nicht so gern.
Isst/Trinkst du gern ...?		
Mögen Sie / Magst du ...?		
Was essen Sie / isst du gern?	– Ich esse/trinke gern ...	– Ich esse/trinke nicht gern ...
Was trinken Sie / trinkst du gern?	– Ich mag ... (sehr) gern.	– Ich mag keinen/kein/keine ...

Berufe rund ums Essen

12 **Koch am Bodensee. Lesen Sie den Text und die Fragen. Markieren Sie die Informationen im Text und beantworten Sie dann die Fragen.**

> **Wichtige Informationen in Texten verstehen**
> W-Fragen helfen:
> Wer? Was? Wann? Wo? Wie?

Koch | **Landwirt** | **Bäcker** | **Kellner** | **Hotelfachfrau**

Max Schmidt und sein Chef planen zusammen das Essen für die Woche. Dann geht er auf den Markt. Er kauft Tomaten, Champignons und Salat. Kartoffeln und Zwiebeln braucht er auch. Dann kauft er noch frischen Fisch. Max Schmidt arbeitet seit zwei Jahren als Koch in dem kleinen Restaurant „Esszimmer" in der Altstadt von Konstanz. Da gibt es jeden Tag ein anderes Fischgericht: Fische frisch aus dem Bodensee.

Zurück im Restaurant wäscht, schält und schneidet er das Gemüse. Der Chef bereitet den Fisch zu. Paula, eine Kollegin, macht das Dessert. Max mag seine Arbeit. Er sagt: „Kochen ist mein Beruf, aber auch mein Hobby.

Ich arbeite gern in einem kleinen Team und die Kollegen sind sehr nett. Kochen ist auch sehr kreativ – das macht viel Spaß. Ich probiere gerne neue Gerichte aus. Oft haben wir viele Gäste. Das ist dann echt stressig! Und die Arbeitszeiten sind nicht toll. Ich arbeite normalerweise von 6 bis 15 Uhr oder von 13 bis 22 Uhr. Am Wochenende muss ich am Abend oft noch länger arbeiten. Das ist natürlich nicht so schön. Ich habe nicht viel Freizeit und wenig Zeit für meine Freunde."

Wo arbeitet Max Schmidt?
Was macht er auf dem Markt?
Was macht er im Restaurant?
Wie findet er seinen Beruf?
Wann arbeitet er?

1. Wo? Restaurant „Esszimmer" in …

Wörter lernen

13 a Eine Mindmap machen. Arbeiten Sie in Gruppen und machen Sie Plakate.

> **Mindmap**
> Lernen Sie Wörter in thematischen Gruppen.

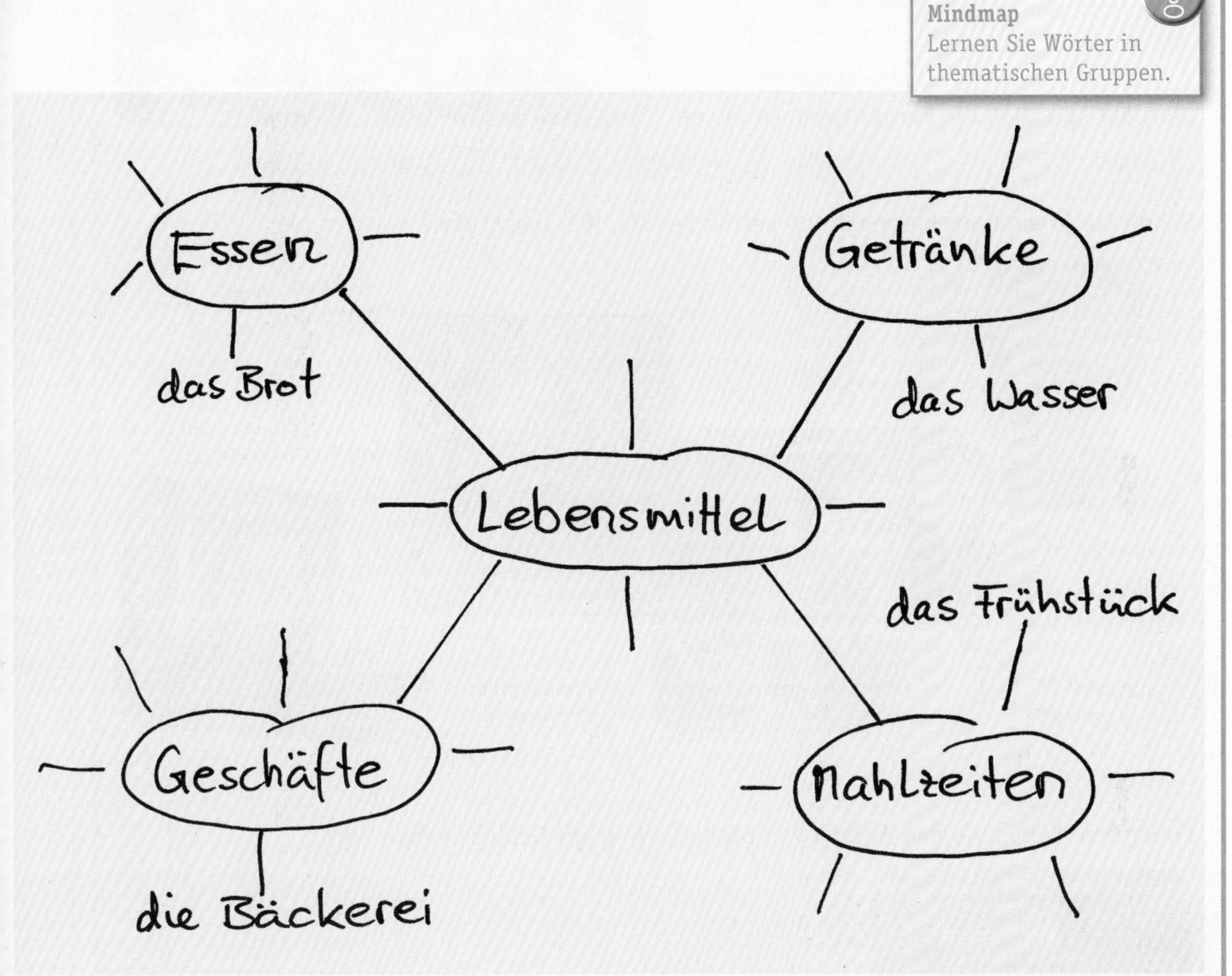

b Wörter wiederholen. Sehen Sie sich das Beispiel an und machen Sie Karteikarten für die neuen Wörter aus Kapitel 4.

> **Lernen mit Karteikarten**
> 1. Schreiben Sie die Wörter auf Karten.
> 2. Legen Sie die Karten in Fach 1.
> 3. Nehmen Sie eine Karte und übersetzen Sie das Wort.
> 4. Das Wort ist richtig und einfach → Karte in Fach 3.
>   Das Wort ist richtig, aber schwer → Karte in Fach 2.
>   Das Wort ist nicht richtig → Karte bleibt in Fach 1.
> 5. Die Wörter in Fach 1 wiederholen Sie sehr oft, in Fach 2 oft, in Fach 3 manchmal.

Der Film

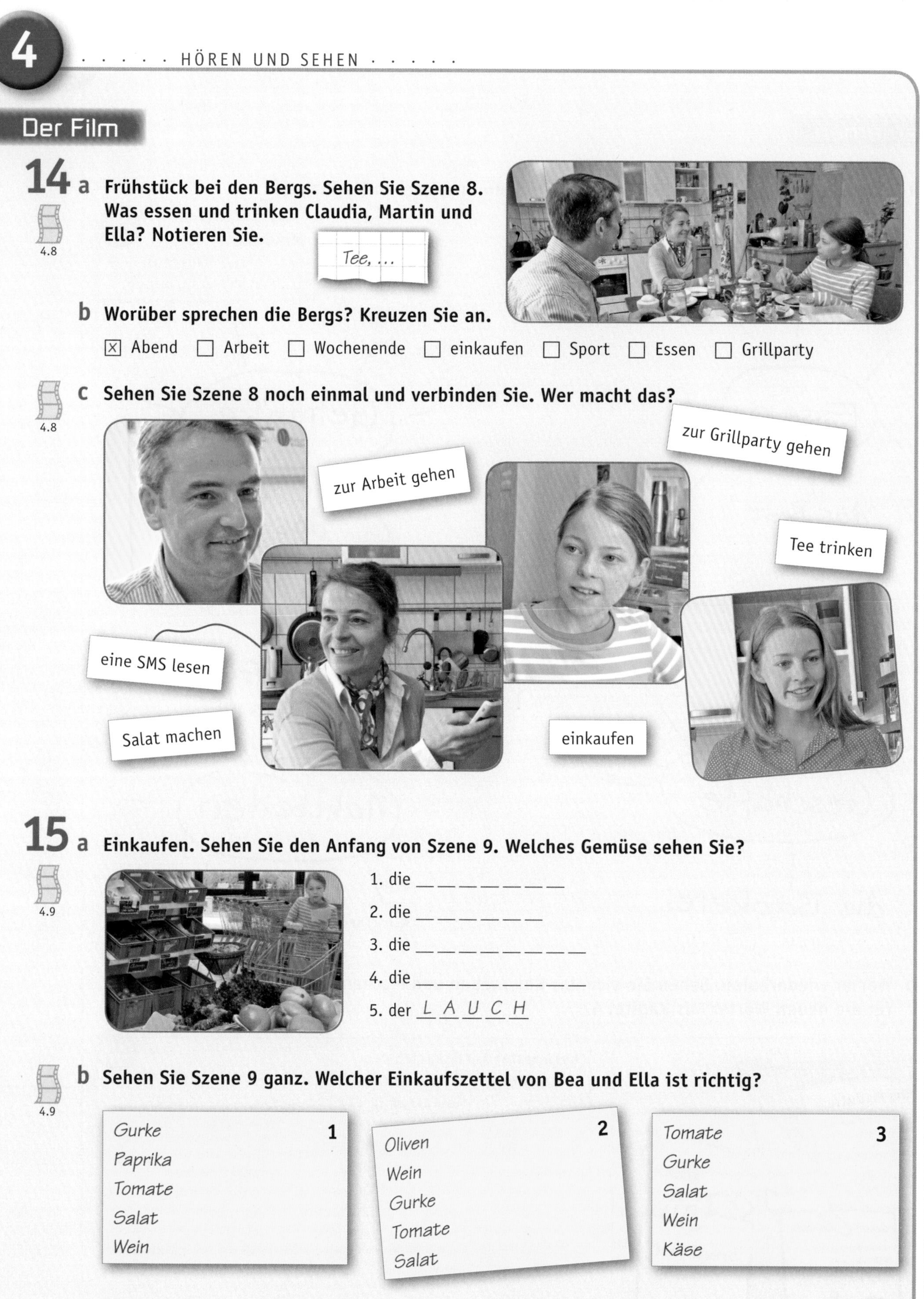

14 a Frühstück bei den Bergs. Sehen Sie Szene 8. Was essen und trinken Claudia, Martin und Ella? Notieren Sie.

4.8

Tee, ...

b Worüber sprechen die Bergs? Kreuzen Sie an.

☒ Abend ☐ Arbeit ☐ Wochenende ☐ einkaufen ☐ Sport ☐ Essen ☐ Grillparty

c Sehen Sie Szene 8 noch einmal und verbinden Sie. Wer macht das?

4.8

zur Grillparty gehen

zur Arbeit gehen

Tee trinken

eine SMS lesen

Salat machen

einkaufen

15 a Einkaufen. Sehen Sie den Anfang von Szene 9. Welches Gemüse sehen Sie?

4.9

1. die _ _ _ _ _ _ _ _
2. die _ _ _ _ _ _ _
3. die _ _ _ _ _ _ _ _ _ _
4. die _ _ _ _ _ _ _ _ _ _
5. der L A U C H

b Sehen Sie Szene 9 ganz. Welcher Einkaufszettel von Bea und Ella ist richtig?

4.9

1
Gurke
Paprika
Tomate
Salat
Wein

2
Oliven
Wein
Gurke
Tomate
Salat

3
Tomate
Gurke
Salat
Wein
Käse

c Welche Zutaten kaufen Sie für einen Salat? Planen Sie mit einem Partner / einer Partnerin.

Kurz und klar

über Essen sprechen

Zum Frühstück / Morgens esse ich ...
Zum Mittagessen / Mittags esse ich ...
Zum Abendessen / Abends esse ich ...

Gespräche beim Einkauf führen

Bitte? Was möchten Sie? – Ich möchte ..., bitte. Haben Sie ...?
Sonst noch etwas? – Ja, ich brauche noch ... / Nein, danke.
Ist das alles? – Ja, danke. / Nein, ich nehme noch ...

Wo finde ich ...? Wo gibt es ...? – Dort rechts/links.
Was kostet/kosten ...? Wie viel kostet/kosten ...? – Das kostet ... / Sie kosten ...
Können Sie wechseln?

über Vorlieben beim Essen sprechen

Essen/Trinken Sie gern ...? Isst/Trinkst du gern ...? – Ja, sehr gern. / Nein, nicht so gern.
Was essen Sie / isst du (nicht) gern? – Ich esse (nicht) gern ...
Ich mag ... (sehr/nicht) gern.
Ich mag keinen/kein/keine ...

Gespräche beim Essen führen

Guten Appetit! – Danke, gleichfalls!
Möchtest du noch ...? – Ja, bitte. ... schmeckt/schmecken sehr gut.
– Ja, gerne. ... ist/sind sehr lecker.
– Nein, danke. Ich bin satt.
– Nein, danke. Ich mag keinen/kein/keine ...

Grammatik

Verbformen

	essen	mögen	möchten
ich	esse	mag	möchte
du	isst	magst	möchtest
er/es/sie	isst	mag	möchte
wir	essen	mögen	möchten
ihr	esst	mögt	möchtet
sie	essen	mögen	möchten
Sie	essen	mögen	möchten

Positionen im Satz

	2		
Anna	isst	morgens	Müsli.
Morgens	isst	Anna	Müsli.

Das **Verb** steht auf Position 2. Das Subjekt steht vor oder nach dem Verb.

Akkusativ

	Nominativ	Akkusativ
mask.	der/ein/kein Käse	**den**/ein**en**/kein**en** Käse
neutr.	das/ein/kein Brot	das/ein/kein Brot
fem.	die/eine/keine Gurke	die/eine/keine Gurke
Plural	die/ ■ /keine Tomaten	die/ ■ /keine Tomaten

Verben mit Akkusativ

Wir	**brauchen**	eine Gurke.
	haben	keinen Käse.
	machen	einen Salat.
	kochen	keine Suppe.
	essen	das Fleisch.
	kaufen	ein Brot.
	nehmen	den Schinken.

Lernziele

die Uhrzeit verstehen und nennen
Zeitangaben machen
über die Familie sprechen
sich verabreden
sich für eine Verspätung entschuldigen und darauf reagieren
einen Termin telefonisch vereinbaren

Grammatik

Zeitangaben mit *am, um, von ... bis*
Possessivartikel *mein, dein, ...*
Modalverben im Satz
Modalverben *müssen, können, wollen*

A
B

arbeiten

1 a Ein ganz normaler Tag? Ordnen Sie die Ausdrücke den Bildern zu.

ins Café gehen • ~~arbeiten~~ • Nachrichten lesen und frühstücken • joggen • in die Kantine gehen • duschen • nach Hause gehen

1.43

b Was macht Ben? Hören Sie und nummerieren Sie die Fotos.

c Bens Tag. Berichten Sie. *Am Morgen joggt Ben. Dann duscht er und ...*

2

a Was macht Ben am Sonntag? Hören Sie das Gespräch und kreuzen Sie an.

1.44

Ben

- ☐ frühstückt.
- ☐ trifft Freunde.
- ☐ geht ins Café.
- ☐ schläft lange.
- ☐ geht spazieren.
- ☐ spielt Fußball.
- ☐ joggt im Park.
- ☐ arbeitet am Computer.
- ☐ liest Zeitung.
- ☐ trifft Carina.

b Was ist am Sonntag anders? Berichten Sie.

Am Sonntag schläft Ben lang. Dann ...

3

Und Ihr Tag? Erzählen Sie. Die anderen im Kurs raten: Arbeitstag oder Wochenende?

Morgens trinke ich einen Kaffee und esse ein Müsli. Am Vormittag lerne ich und am Nachmittag ...

Wochenende!

Wie spät ist es?

4 **a Die Uhrzeiten. Hören Sie die Dialoge und ordnen Sie die Bilder zu.**

1.45–48

A

___

zwanzig vor acht

B

___

____

C

1

____

D

___

____

b Ordnen Sie die Uhrzeiten den Bildern zu.

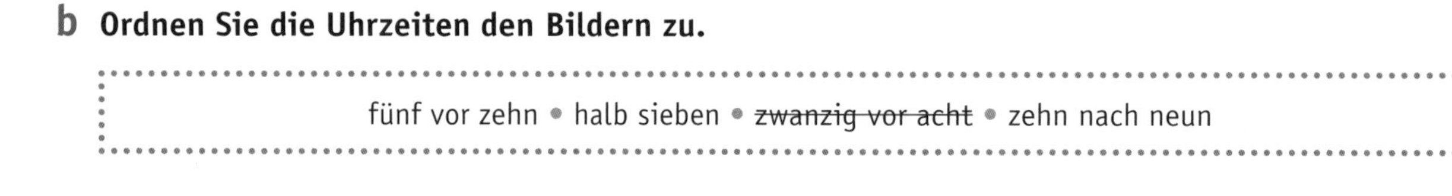

fünf vor zehn • halb sieben • ~~zwanzig vor acht~~ • zehn nach neun

5 **a Wie viel Uhr ist es? Fragen und antworten Sie.**

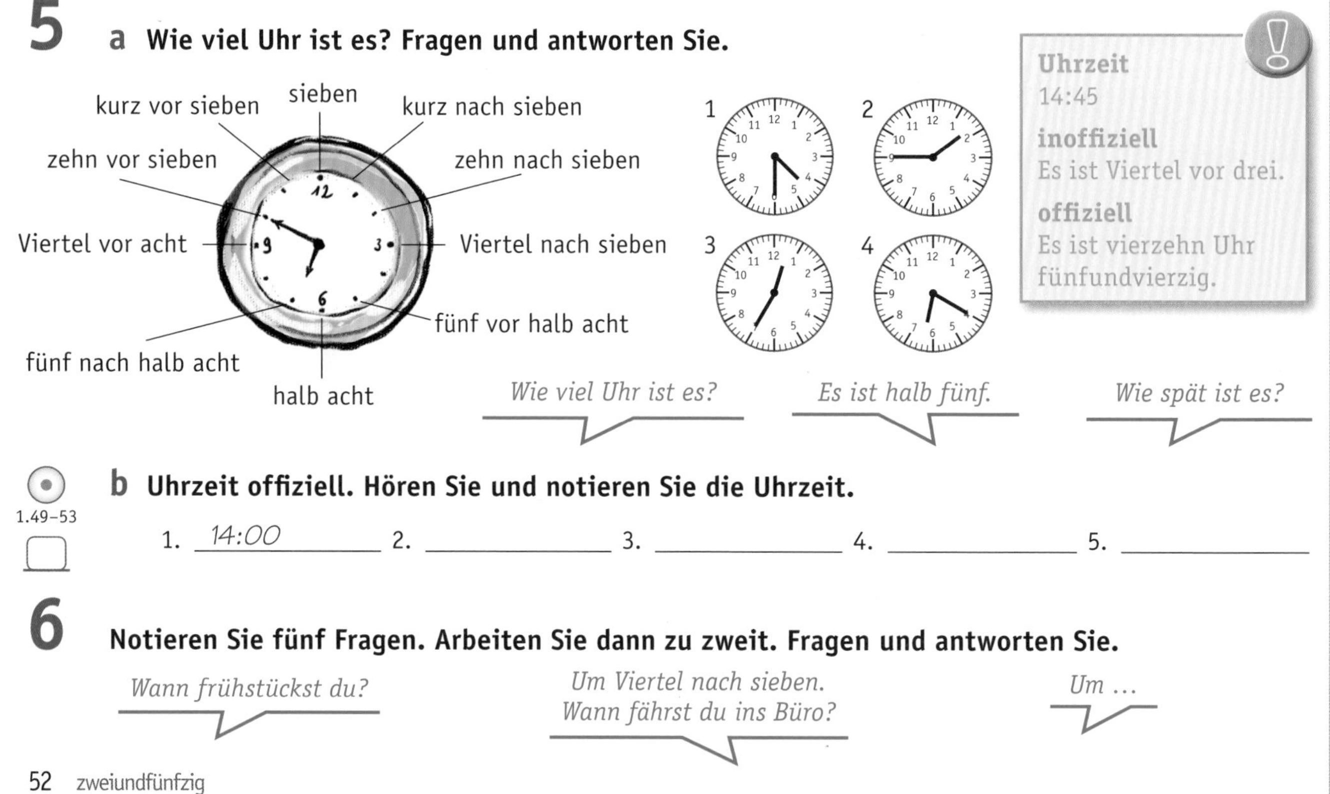

> **Uhrzeit**
> 14:45
> **inoffiziell**
> Es ist Viertel vor drei.
> **offiziell**
> Es ist vierzehn Uhr fünfundvierzig.

b Uhrzeit offiziell. Hören Sie und notieren Sie die Uhrzeit.

1.49–53

1. *14:00* 2. ________ 3. ________ 4. ________ 5. ________

6 **Notieren Sie fünf Fragen. Arbeiten Sie dann zu zweit. Fragen und antworten Sie.**

Wann frühstückst du?

Um Viertel nach sieben.
Wann fährst du ins Büro?

Um …

Familie und Termine

7

a Sehen Sie den Kalender von Familie Dobart an. Wie heißen die Eltern, wie die Kinder? Ergänzen Sie dann die Sätze.

Name	Florian	Lena	Hannes	Mara
1 Do		Mathe-Test!	Hamburg	Arbeit 5-12
2 Fr	9.00 Dr. Schwarz		Hamburg	Arbeit 9-17
3 Sa	Spiel 11 Uhr	Geburtstag Sara ab 14.00	Hamburg	Arbeit 9-17
4 So (2. Advent)	~~Spiel 16:30~~			Arbeit 5-12
5 Mo	16.15 Training		Mutter!!!	
6 Di (Nikolaus)	Englisch-Test!	17.00 Saxophon		17⁰⁰ Annalisa
7 Mi	16.00 Trompete		17⁰⁰ Friseur	
8 Do				

1. Mara arbeitet ...
2. Hannes ist ... in Hamburg.
3. Florian hat ... ein Spiel.
4. Lena hat ... Musikstunde.
5. Mara trifft Annalisa ...

Mara arbeitet von Donnerstag bis Sonntag.

Wann?
am Montag, **am** Dienstag, ...
um drei (Uhr), **um** Viertel nach vier
Wie lange?
von Donnerstag **bis** Samstag
von 9 **bis** 13 Uhr / **von** neun **bis** eins

1.54
Wortschatz AB

b Hören Sie. Was sagt Frau Dobart? Richtig oder falsch? Kreuzen Sie an. Ergänzen Sie.

	r	f
1. Mara Dobart telefoniert mit der Musikschule.	☐	☐
2. Die Tochter Lena ist am Dienstag bis 19.00 Uhr in der Schule.	☐	☐
3. Der Sohn Florian kommt am Mittwoch nicht zur Musikstunde.	☐	☐
4. Florian ist krank.	☐	☐

die Eltern → *der Vater* | *die Mutter*

die Kinder → ______ | ______

c Mara Dobart beschreibt ihre Familie. Ergänzen Sie.

Ich wohne in Frankfurt in der Mainstraße. Ich bin Ärztin und habe zwei Kinder. *Meine* Kinder gehen in die Schule. ________ Sohn Florian ist 12, er ist ein Computerfreak. ________ Tochter Lena ist 14. Und ________ Mann heißt Hannes. Er ist Techniker.

Possessivartikel: mein, meine

der	**mein** Sohn
das	**mein** Kind
die	**meine** Tochter
die	**meine** Kinder

8

1.55

a „r" hören. Wo hören Sie „r", wo hören Sie „a"? Kreuzen Sie an.

hören [r] [a]	Vater [r] [a]	treffen [r] [a]	vier [r] [a]	Trompete [r] [a]
Tochter [r] [a]	krank [r] [a]	Uhr [r] [a]	Büro [r] [a]	Computer [r] [a]

b Wie ist die Regel? Kreuzen Sie an.

„-r" oder „-er" am Wortende spricht man [r] [a]

1.55

c Hören Sie noch einmal und sprechen Sie nach.

www.dobart.de

9 a Die Homepage von Familie Dobart. Was passt wo? Ordnen Sie Texte und Fotos zu.

Hannes und sein Motorrad. • Mara und ihr Sport. • Lena und ihr Saxophon. • Der Computer ist mein Hobby. • Unser Hund Otto und sein Ball. • Unsere Familie – komplett.

Home | **Das sind wir** | Kontakt | Impressum

- Das sind wir
- Hannes @ work
- Maras Bilder
- Florian
- Lena
- Unser Urlaub
- Unser Otto
- Kontakt
- Gästebuch

4

5

6

Hannes und sein Motorrad: Das ist Foto ...

b Das Gästebuch. Ergänzen Sie die Nachrichten.

User 76 schreibt:
Hallo Florian, *deine* ____________ Homepage ist spitze.
Und ____________ Hund Otto ist total cool.

Helga Falke schreibt:
Liebe Mara. ____________ Bilder sind schön, sie gefallen mir sehr gut. ____________ Foto beim Walking ist auch sehr nett.

Angelo 11 schreibt:
Hallo Mara und Hannes. ____________ Kinder sind schon sooo groß.
Wisst ihr schon? ____________ Tochter Nadine spielt jetzt auch Saxophon.

Possessivartikel: mein, dein, ...

ich	**mein/-e**	wir	**unser/-e**
du	**dein/-e**	ihr	**euer/eure**
er	**sein/-e**	sie	**ihr/-e**
es	**sein/-e**		
sie	**ihr/-e**	Sie	**Ihr/-e**

c Schreiben Sie eine Nachricht für das Gästebuch.

10 Und Ihre Familie oder Fantasiefamilie? Bringen Sie Fotos mit und berichten Sie.

Die Verabredung

11 a Stress! Lesen Sie die E-Mail. Markieren Sie die Modalverben *können, müssen, wollen.* Unterstreichen Sie dann die anderen Verben.

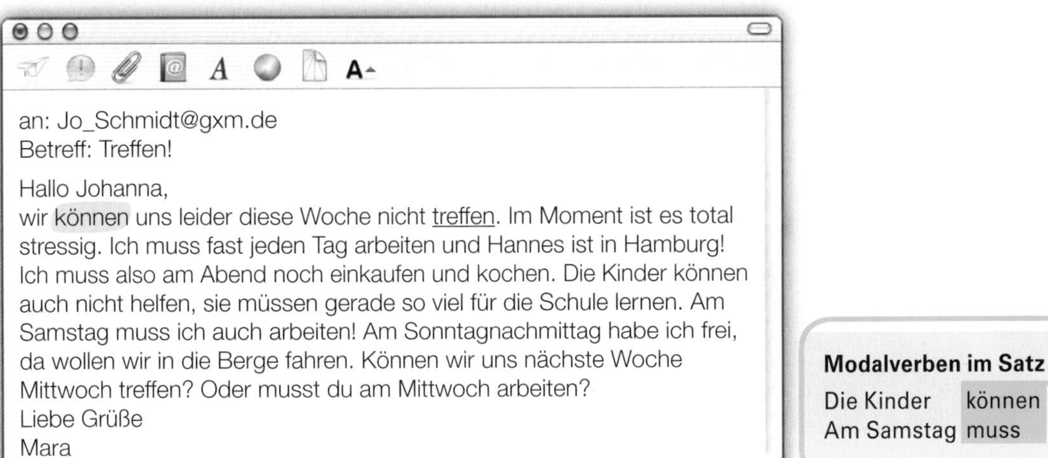
an: Jo_Schmidt@gxm.de
Betreff: Treffen!

Hallo Johanna,
wir können uns leider diese Woche nicht treffen. Im Moment ist es total stressig. Ich muss fast jeden Tag arbeiten und Hannes ist in Hamburg! Ich muss also am Abend noch einkaufen und kochen. Die Kinder können auch nicht helfen, sie müssen gerade so viel für die Schule lernen. Am Samstag muss ich auch arbeiten! Am Sonntagnachmittag habe ich frei, da wollen wir in die Berge fahren. Können wir uns nächste Woche Mittwoch treffen? Oder musst du am Mittwoch arbeiten?
Liebe Grüße
Mara

Modalverben im Satz

Die Kinder	können	auch nicht	helfen.
Am Samstag	muss	ich auch	arbeiten.

b Was muss Mara machen? Was kann sie (nicht) machen? Was will sie machen? Berichten Sie.

Mara kann Johanna nicht treffen. Sie muss …

c Johannas Antwort. Lesen Sie und ergänzen Sie die Modalverben in der richtigen Form.

an: Mara@Dobart.com
Re: Treffen!

Liebe Mara,
das klingt wirklich stressig. Wir (1) *können* uns gern am Mittwoch treffen. Ich (2)_____ bis 16 Uhr arbeiten. Aber dann (3)_____ wir uns sehen, so um 17 Uhr? (4)_____ du ins Kino gehen? Oder wir treffen uns in einem Café? Vielleicht im Café Elisa? Hannes ist nächste Woche wieder da, oder? Am Freitag macht Albert eine Party. (5) _____ ihr kommen? Wir (6)_____ ja morgen telefonieren, okay?
Viele Grüße
Johanna

5.10

Modalverben

	müssen	können	wollen
ich	muss	kann	will
du	musst	kannst	willst
er/es/sie	muss	kann	will
wir	müssen	können	wollen
ihr	müsst	könnt	wollt
sie	müssen	können	wollen
Sie	müssen	können	wollen

12 Hören Sie das Telefongespräch und variieren Sie den Dialog.

1.56

- Was machst du morgen? Hast du Zeit?
- Tut mir leid. Morgen kann ich nicht, da muss ich arbeiten.
- Schade. Und am Dienstag?
- Das geht.
- Wir können ins Kino gehen.
- Gute Idee! Wann? Um halb acht?
- Halb acht ist super.

Ich muss …
zum Arzt gehen • lernen • zum Sprachkurs gehen • babysitten • meine Eltern besuchen • …

Wir können …
ins Café gehen • spazieren gehen • tanzen gehen • Tennis spielen • eine Radtour machen • …

Pünktlichkeit?

13 a Sehen Sie die Bilder an. Kann man da zu spät kommen? Wie viele Minuten? Markieren Sie.

Herr Spiegel hat um 10.45 Uhr einen Termin beim Arzt.

0 15 30 45 60 Minuten

Kollegen treffen sich am Abend in einer Kneipe. Pia ist noch nicht da. Termin: 20.00 Uhr

0 15 30 45 60 Minuten

Frau Moser hat eine Besprechung in der Firma. Termin: 9.00 Uhr

0 15 30 45 60 Minuten

Lena und Stefan kochen, Pia kommt zum Essen. Termin: 20.00 Uhr

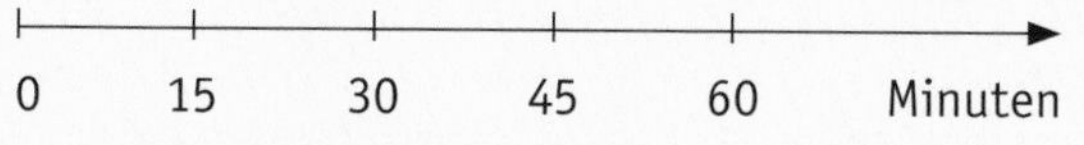

0 15 30 45 60 Minuten

1.57–60

b Wie viel Minuten sind die Leute zu spät? Ist das ein Problem? Hören Sie und ergänzen Sie die Tabelle.

1. Arzt	2. Kneipe	3. Firma	4. Abendessen
Verspätung: 10 min. Problem? Ja ☐ Nein ☐	Verspätung: ____ min. Problem? Ja ☐ Nein ☐	Verspätung: ____ min. Problem? Ja ☐ Nein ☐	Verspätung: ____ min. Problem? Ja ☐ Nein ☐

c A wartet, B kommt zu spät. Was sagt A, was sagt B?

B Es tut mir leid, ich bin zu spät.
__ Schon gut.
__ Oh, Entschuldigung.
__ Kein Problem.
__ Das nächste Mal bitte pünktlich!
__ Bitte entschuldigen Sie.
__ Ich bitte um Entschuldigung.
__ Macht nichts.

d Bilden Sie Gruppen. Spielen Sie Verspätungssituationen: beim Arzt, in der Kneipe, bei der Arbeit, bei Freunden.

Kann ich einen Termin haben?

14 a Termin beim Arzt. Hören Sie das Gespräch. Ordnen Sie die Antworten zu.

1.61

1. _C_ Guten Tag, Praxis Dr. Steinig, Svetlana Keller. Was kann ich für Sie tun?
2. ____ Können Sie am Freitag um 10.45 Uhr?
3. ____ Nein, leider, am Montag ist nichts frei. Mittwoch? Geht es um 11.30 Uhr am Mittwoch?
4. ____ Also Mittwoch um 11.30 Uhr. Wie ist noch mal Ihr Name, bitte?
5. ____ Danke, Frau Dobart. Bis Mittwoch. Auf Wiederhören.

A Danke. Auf Wiederhören.
B Nein, ich muss am Freitag arbeiten. Geht es auch am Montag?
C Guten Tag! Mein Name ist Mara Dobart. Ich hätte gern einen Termin.
D Ja, das geht. Vielen Dank.
E Mara Dobart.

b Lesen Sie den Dialog in 14a mit einem Partner / einer Partnerin.

5.11

1.62

Gut gesagt: gehen
Wie **geht's**? – Es **geht** mir gut. ☺ / Es **geht**. 😐
Gehen wir am Samstag ins Kino? – Ja, das **geht**.
Geht's am Montag? – Nein, da **geht's** leider nicht.

15 Vereinbaren Sie einen Termin. Wählen Sie eine Rollenkarte und spielen Sie die Dialoge.

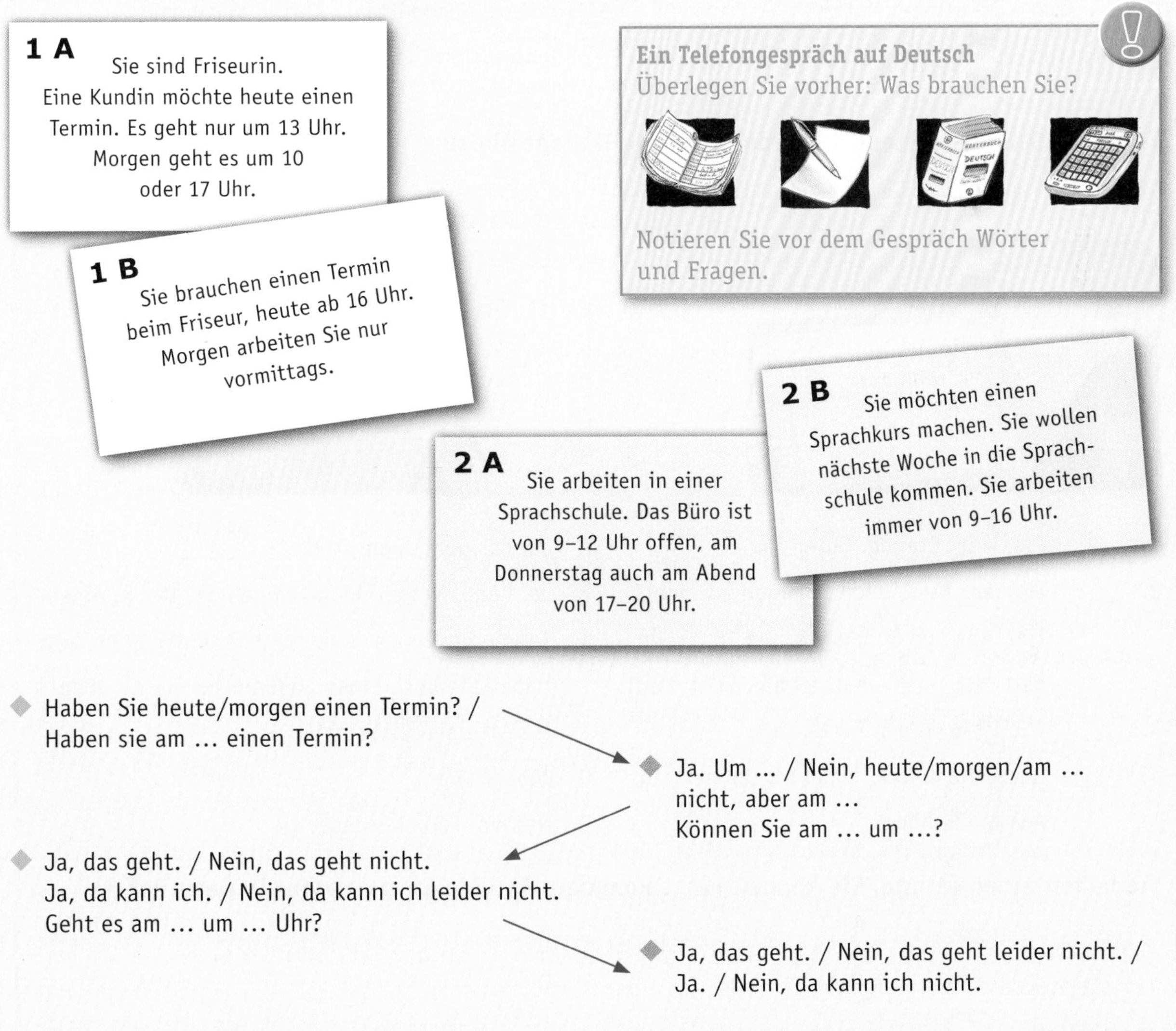

Der Film

16 a „Nie hast du Zeit!" Wer sagt das: Felix oder seine Mutter? Notieren Sie F (Felix) oder M (Mutter).

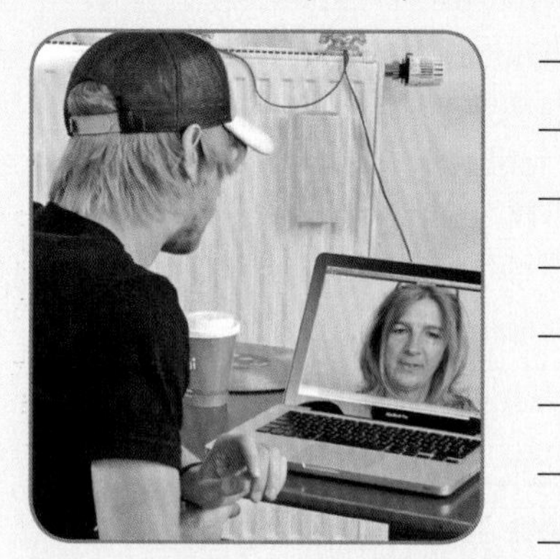

F Guten Morgen, Mama! Wie geht's?
___ Guten Morgen ist gut! Um diese Zeit!
___ Besuchst du mich am Samstag?
___ Samstag muss ich arbeiten.
___ Dann komm doch am Sonntag zum Frühstück.
___ 9 Uhr ist echt zu früh.
___ Dann komm doch am Nachmittag zum Kaffee.
___ Sonntag ist gut.

5.10 **b Sehen Sie Szene 10. Kontrollieren Sie Ihre Lösungen.**

5.10 **c Sehen Sie Szene 10 noch einmal. Welche Termine kommen im Film vor? Kreuzen Sie an.**

1 Freitag, 9.00 Uhr – Frühstück
2 Samstag – Besuch bei Mutter
3 Samstag, 20.45 Uhr – Kino
4 Sonntag, 9.00 Uhr – Frühstück
5 Sonntag, Nachmittag – Kaffee bei Mutter
6 Sonntag, 19.00 Uhr – Grillparty

17 a Termine! Sehen Sie Szene 11. Ordnen Sie die Dialogteile zu.

5.11

Mist! Zwei Termine!

1. B Praxis Dr. Steinig. Guten Tag.
2. ___ Morgen? Nein, leider, morgen ist nichts frei. Aber am Donnerstag um 16.00 Uhr hätte ich noch einen Termin. Geht das?
3. ___ Wie ist noch mal Ihr Name?
4. ___ Gut, Herr Nowald, dann bis Donnerstag. Auf Wiederhören.

A Ja, das geht auch. Danke!
B Ja, hallo, Nowald hier. Ich hab um 10 Uhr einen Termin bei Ihnen. Aber ich hab leider keine Zeit. Haben Sie noch einen anderen Termin für mich frei? Morgen vielleicht?
C Wiederhören.
D Nowald, Felix Nowald.

b Sie haben einen Termin. Sie können nicht kommen. Spielen Sie zu zweit ein Gespräch.

Kurz und klar

die Uhrzeit nennen

Frage

Wie spät ist es?
Wie viel Uhr ist es?

inoffiziell 

Es ist Viertel vor drei.
Es ist halb zwei.
Es ist zehn nach neun.
Es ist kurz vor eins.

offiziell 

Es ist vierzehn Uhr fünfundvierzig.
Es ist dreizehn Uhr dreißig.
Es ist neun Uhr zehn.
Es ist zwölf Uhr achtundfünfzig.

einen Termin vereinbaren

Haben Sie am ... einen Termin?
Ich hätte gern einen Termin am ...

– Ja. Da geht es um 14.15 Uhr.
– Nein, am ... geht es nicht, aber am ...

Können Sie am ... um ... Uhr?
Geht es am ... um ... Uhr?

– Ja, das geht. / Nein, das geht leider nicht.
– Ja, da kann ich. / Nein, da kann ich leider nicht.

sich für eine Verspätung entschuldigen

Entschuldigung, bitte. / Bitte entschuldigen Sie. / Ich bitte um Entschuldigung. / Es tut mir leid, ich bin zu spät.

auf eine Entschuldigung reagieren

Schon gut. / Kein Problem. / Macht nichts. / Das nächste Mal bitte pünktlich!

Grammatik

Zeitangaben *am, um, von ... bis*

	Wochentage/Tageszeiten	Uhrzeit
Wann? Wie lange?	**am** Montag / **am** Vormittag **von** Montag **bis** Samstag	**um** Viertel vor drei **von** neun bis halb zwei / **von** 9.00 Uhr **bis** 13.30 Uhr

Possessivartikel

		ich
der	ein/kein	**mein** Vater
das	ein/kein	**mein** Kind
die	eine/keine	**meine** Mutter
die	■ /keine	**meine** Eltern

ich	**mein/meine**
du	**dein/deine**
er	**sein/seine**
es	**sein/seine**
sie	**ihr/ihre**
wir	**unser/unsere**
ihr	**euer/eure**
sie	**ihr/ihre**
Sie	**Ihr/Ihre**

Modalverben

	müssen	**können**	**wollen**
ich	muss	kann	will
du	muss**t**	kann**st**	will**st**
er/es/sie	muss	kann	will
wir	müss**en**	könn**en**	woll**en**
ihr	müss**t**	könn**t**	woll**t**
sie/Sie	müss**en**	könn**en**	woll**en**

Modalverben im Satz: Satzklammer

Ich	muss	jeden Abend bis 19.00 Uhr	arbeiten.
Am Samstag	muss	ich auch	arbeiten.
	Modalverb		**Satzende: Infinitiv**

Lernziele

etwas gemeinsam planen
über Geburtstage sprechen
eine Einladung verstehen und schreiben
im Restaurant bestellen und bezahlen
über ein Ereignis sprechen
bestimmte Informationen in Texten finden
Veranstaltungstipps im Radio verstehen

Grammatik

Datumsangaben: *am ...*
trennbare Verben
Präposition *für* + Akkusativ
Personalpronomen im Akkusativ *mich, dich, ...*
Präteritum von *haben* und *sein*

Zeit mit Freunden

Fußball spielen

im Internet surfen

joggen

Snowboard fahren

einen Film sehen / ins Kino gehen

klettern

grillen

lesen

1 a Freizeit! Sehen Sie die Fotos an. Welche Freizeitaktivität passt? Raten Sie.

Ich glaube, Bild 1 ist ...

Vielleicht ist Bild 5 ...

Fahrrad fahren

wandern

schwimmen

fotografieren

tanzen

b **Arbeiten Sie zu zweit. Wählen Sie drei Fotos. Finden Sie zu jedem Bild fünf passende Wörter. Das Wörterbuch hilft. Wer ist zuerst fertig?**

Snowboard fahren: der Schnee, kalt, der Winter …
Joggen: …

c **Welche Wörter in a und b sind ähnlich in Ihrer Sprache oder kennen Sie schon aus anderen Sprachen?**

Ich kenne Snowboard. Das ist Englisch.

2

.63–66

a **Hören Sie die Radiobeiträge. Um welche Freizeitaktivitäten geht es?**

1. ______________________ 3. ______________________

2. ______________________ 4. ______________________

b **Welche Freizeitaktivitäten mögen Sie? Spielen Sie Pantomime. Die anderen raten.**

3

Was ist das? Bringen Sie Fotos mit. Machen Sie selbst Ratebilder zu Freizeitaktivitäten.

Eine Überraschung für Sofia

4

a Sofias Geburtstag. Lesen Sie das Chat-Gespräch. Was planen Marc und Anne?

b Was ist an den Tagen? Notieren Sie.

am 09.07. *Chat von Marc und Anne*
am 16.07. ____________
am 17.07. ____________
am 18.07. ____________
am 19.07. ____________

Heute, Donnerstag 09.07.

Anne77: Hi Marc!
M@rc: Hallo Anne, alles klar?
Anne77: Ja. Sofia hat nächste Woche Geburtstag – sie wird dreißig!
M@rc: Echt? Wann denn?
Anne77: Am 16.7. – das ist ein Donnerstag.
M@rc: Und was möchtest du ihr schenken?
Anne77: Einen Tag mit ihren Freunden ☺. Hilfst du mir?
M@rc: Klar. Super Idee!!!
Anne77: Wann wollen wir feiern?
M@rc: Vielleicht am 19.07.?
Anne77: Am Sonntag? Nein, da ist Sofia bei ihren Eltern. Und Freitag arbeitet sie. Aber am Samstag geht es.
M@rc: Dann Samstag. Und wohin fahren wir?
Anne77: Nach Iphofen – da kann man super Fahrrad fahren.
M@rc: Klingt gut. Da können wir vielleicht auch ein Picknick machen. Aber bei Regen ...

5

1.67

a Wann haben die Personen Geburtstag? Hören Sie und notieren Sie das Datum. Was ist besonders an den Geburtstagen?

Marc Reuter ____________
Susanne Bohmer ____________
Herr Daum ____________
Frau Daum ____________

b Geburtstage. Stellen Sie sich im Kurs nach dem Kalender auf.

6.12

Datumsangaben

Wann? Am ...

1.	**ersten**	7.	**siebten**
2.	zwei**ten**	8.	**achten**
3.	**dritten**	9.	neun**ten**
4.	vier**ten**	10.	zehn**ten**
5.	fünf**ten**	20.	zwanzig**sten**
6.	sechs**ten**	30.	dreißig**sten**

Ich habe am **15.11.** Geburtstag.
= am fünfzehnten Elften /
am fünfzehnten November

6

1.68

a *ei, eu, au*. Welche Familiennamen hören Sie? Kreuzen Sie an.

1.	Deum ☐	Deim ☐	Daum ☐	Dahm ☐
2.	Bohmer ☐	Beumer ☐	Baumer ☐	Bahmer ☐
3.	Reiter ☐	Rauter ☐	Rater ☐	Reuter ☐
4.	Neimer ☐	Namer ☐	Naumer ☐	Nomer ☐

1.69

b Hören Sie und sprechen Sie nach.

7

a Eine wichtige Mail. Lesen Sie und beschreiben Sie: Was wollen die Freunde machen?

Betreff: Psst – eine Überraschung für Sofia

Hallo liebe Freunde von Sofia,
Sofia hat Geburtstag und wir möchten ihr ein besonderes Geschenk machen:
einen Tag mit ihren Freunden!
Wir laden euch herzlich ein: Unser Überraschungstag fängt am Samstag, den 18.07. um 10 Uhr an, Treffpunkt am Bahnhof. Wir holen dann zusammen Sofia ab. Wir machen einen Ausflug mit dem Fahrrad und mittags ein Picknick. Wir bringen Essen und Getränke mit.
Bei Regen gehen wir ins Museum, dann zusammen essen und danach ins Kino. Wir rufen vorher alle an und informieren euch über Zeit und Ort.
Hoffentlich könnt ihr alle mitkommen! Schreibt uns bitte eine Mail.
Viele Grüße
Marc und Anne

PS: Sofia weiß nichts, also bitte nichts verraten.
Der Tag ist das Geschenk für Sofia – wir sammeln von allen 5€ ein. Okay?

b Markieren Sie die Verben *einladen, anfangen, abholen, mitbringen, anrufen, mitkommen, einsammeln*. Was ist besonders?

c Bilden Sie Sätze mit diesen Wörtern.

1. Marc und Anne / alle Freunde / einladen
2. der Tag / um 10 Uhr / anfangen
3. sie / Sofia / zusammen / abholen
4. Marc und Anne / Essen / für das Picknick / mitbringen
5. sie / bei Regen / alle / anrufen
6. Marc und Anne / Geld / einsammeln
7. viele Freunde / am Samstag / mitkommen

1. Marc und Anne laden alle Freunde ein.

trennbare Verben

ein｜laden –	Sie	laden	die Freunde	ein.
ab｜holen –	Sie	holen	Sofia	ab.
	Sie	wollen	Sofia	ab｜holen.

8

a Wie feiern Sie? Fragen Sie Ihren Partner / Ihre Partnerin und notieren Sie die Antworten.

1. Laden Sie Ihre Familie oder Freunde ein?
2. Wer ruft Sie am Geburtstag an?
3. Was kaufen Sie für das Fest ein?
4. Wann fängt das Fest an und wann hört es auf?
5. Bringen Ihre Gäste etwas mit? Was?

Partner: Anton
1. Familie
2. …

b Suchen Sie einen anderen Partner / eine andere Partnerin und berichten Sie von Ihrem Interview.

Anton lädt seine Familie ein.

9

Kursfest mit Freunden. Schreiben Sie eine Einladungs-Mail an Freunde. Die Stichpunkte helfen.

einladen: Freunde • Wann: am 11.6. um 17 Uhr • mitbringen: Essen oder Getränke • Wo: im Park • Was: tanzen, erzählen, essen …

Liebe Freunde, wir möchten …

Im Restaurant

10 **Ein Cartoon. Lesen Sie und sehen Sie die Bilder an. Was notiert der Kellner auf Bild 2?**

11 a **Die Bestellung. Hören Sie das Gespräch. Was bestellen Sven und Anne? Kreuzen Sie an.**

1.70

	Sven	Anne
Salat mit Käse	☐	☐
Spaghetti Bolognese	☐	☐
Schnitzel mit Pommes	☐	☐
Apfelsaftschorle	☐	☐
Cola	☐	☐
Limonade	☐	☐

b **Personalpronomen im Akkusativ. Hören Sie noch einmal einen Teil des Gesprächs aus a. Ergänzen Sie.**

1.71

- ◆ Für wen ist die Apfelsaftschorle?
- ◆ Für __________. Danke schön.
- ◆ Dann ist die Cola für __________. Bitte schön. Was möchten Sie essen?
- ◆ Für __________ bitte einen Salat mit Käse. Und für __________, Sven?
- ◇ Für __________ bitte Schnitzel mit Pommes.

…

- ◇ Entschuldigung. Könnten Sie auch Wasser für __________ Hund bringen?

***für* + Akkusativ**
Für wen?
Das Wasser ist **für ihn / den** Hund.

Personalpronomen im Akkusativ

ich	**mich**	wir	**uns**
du	**dich**	ihr	**euch**
er	**ihn**	sie	**sie**
es	**es**	Sie	**Sie**
sie	**sie**		

c **Für wen ist was? Spielen Sie zu zweit. Jeder würfelt zwei Mal, das erste Mal für das Getränk/Essen, das zweite Mal für die Person(en).**

⚀	⚁	⚂	⚃	⚄	⚅
Apfelsaft	Wasser	Pizza	Salat	Schnitzel	Suppe
ich	du	er	sie	wir	ihr

⚅ ⚂ *Die Suppe ist für ihn.*

12 Was möchten Sie? Spielen Sie zu dritt Dialoge.

Wortschatz AB

Speisekarte

Tomatensuppe		3,90
Salat mit Käse		8,90
Schnitzel mit Pommes		9,80
Spaghetti Bolognese		6,80
Kleines Eis		3,50
Getränke		
Wasser	0,2l	1,80
Cola, Limonade	0,3l	2,80
Apfelsaftschorle	0,5l	3,80

Was möchten Sie trinken? Und für Sie?	Für mich bitte einen/ein/eine ... Ich hätte gern einen/ein/eine ...
Möchten Sie auch etwas essen?	Ja. Ich nehme ... Ja. Für mich bitte ...
Vielen Dank.	Danke.

Hallo. Was möchten Sie trinken?

Für mich bitte eine Cola.

möchten
Ich **möchte** eine Cola.
Ich **möchte** nichts essen.

13 a Zahlen, bitte! Wer sagt was? Hören Sie und kreuzen Sie an.

1.72

	Kellnerin	Sven
Können wir bitte zahlen?	☐	☐
Einen Moment bitte.	☐	☐
Zusammen oder getrennt?	☐	☐
Zusammen!	☐	☐
Das macht dann 25,30.	☐	☐
Stimmt so.	☐	☐

1.73

Gut gesagt: Trinkgeld geben
Kellner: Das macht 18,90 Euro.
Gast: Stimmt so.
Kellner: Das macht 17,90 Euro.
Gast: 19 bitte. / Machen Sie 19 Euro bitte.
Kellner: Danke.

b Spielen Sie zu zweit. Benutzen Sie die Speisekarte aus Aufgabe 12.

- Kann ich bitte zahlen?
- Ja, natürlich. Eine Apfelsaftschorle, eine Tomatensuppe und ein Salat. Das macht dann 16,60.
- Machen Sie 17,50 bitte.
- Danke.

6.13

14 a Wie war der Überraschungstag für Sofia? Hören Sie. Welche Aussage passt zu wem? Notieren Sie.

1.74

Der Tag war langweilig. • Der Kaffee war nicht gut. • Das war super! • Und wir hatten Glück mit dem Wetter! • Das Picknick war klasse. • Alles war so lecker. • Wir hatten zu wenig Kuchen. • Der Tag war toll! • Ich hatte viel Spaß. • Aber wir hatten nicht genug Getränke.

Anne	Sven
Der Tag war toll!	...

6.14

Präteritum

	haben	sein
ich	hatte	war
du	hatt**est**	war**st**
er/es/sie	hatte	war
wir	hatt**en**	war**en**
ihr	hatt**et**	war**t**
sie	hatt**en**	war**en**
Sie	hatt**en**	war**en**

b Wie war Ihr letzter Geburtstag? Erzählen Sie.

Ich hatte am ... Geburtstag. Der Tag war ...

Kneipen & Co in D-A-CH

15 a Verschiedene Lokale. Lesen Sie die Texte und ergänzen Sie die Tabelle.

Straußwirtschaften gibt es in Weingebieten. Sie haben maximal vier Monate im Jahr geöffnet. Es gibt Platz für maximal 40 Personen. Man bekommt dort eigenen Wein und einfaches Essen, zum Beispiel Flammkuchen oder Zwiebelkuchen. Oft sitzt man draußen. In Österreich heißen sie Buschenschank, in der Schweiz Besenwirtschaft.

Kaffeehäuser sind typisch für Wien. Dort trinkt man Kaffee, aber natürlich auch andere Getränke. Man kann dort auch richtig essen oder nur einen Kuchen bestellen. Viele Menschen lesen Zeitung im Kaffeehaus oder treffen Freunde. Die Kaffeehäuser haben meistens bis 23 Uhr geöffnet.

In vielen Städten in Deutschland gibt es heute Strandbars – mit Sand und Palmen. Sie sind meistens an einem Fluss oder an einem See. Man kann dort etwas trinken und auch essen, manchmal vom Grill. Strandbars sind nur bei Sonne und gutem Wetter geöffnet, aber dann bis 23 Uhr oder länger.

Kneipen gibt es überall – sie sind die Klassiker! Sie haben ab Nachmittag bis spät in die Nacht geöffnet. Am Abend ist es oft sehr voll und viele Leute stehen. Es gibt kleine Gerichte, z.B. Salate, manchmal auch eine große Speisekarte. In Wien heißen die Kneipen „Beisl", in der Schweiz „Beiz".

Biergärten sind typisch für Bayern. Sie sind nur im Sommer geöffnet. Man sitzt draußen an langen Tischen und Bänken. Oft gibt es einen Spielplatz für Kinder. Man muss Getränke kaufen, aber das Essen kann man selbst mitbringen – oder dort kaufen. Im Biergarten ist Selbstbedienung, es gibt also keine Kellner.

	Wo gibt es das?	Wann geöffnet?	Essen?
Straußwirtschaft			
Kaffeehaus			
Strandbar			
Kneipe			
Biergarten			

b Was finden Sie interessant? Welches Lokal möchten Sie gern besuchen? Sprechen Sie in Kleingruppen.

Ich finde Biergärten interessant. Man kann selbst Essen mitbringen!

Ich möchte gern eine Straußwirtschaft besuchen.

c Welche typischen Lokale gibt es in Ihrem Heimatland / in Ihrer Stadt? Berichten Sie.

Bei uns gibt es viele …

Man kann dort …

Typisch ist …

Freizeitprogramm

16 a Lesen Sie die Anzeigen. Welche Angaben fehlen? Preis, Ort, Uhrzeit, Datum?

Hören: wichtige Informationen verstehen
Sie müssen nicht alles verstehen! Achten Sie auf wichtige Wörter.
Beispiel: Sie wollen den Preis wissen? – Wichtige Wörter sind *Preis, Ticket, Karte, kosten, Euro.*
Sie hören das Wort? – Passen Sie auf!

1.75 **b Hören Sie und ergänzen Sie die Preise, Termine und Orte.**

c Was wollen Sie gern machen? Sprechen Sie mit den anderen Kursteilnehmern und finden Sie für alle Aktivitäten Partner.

Konzert	Kino	Fußballspiel	Museumsnacht	Marathon
			Sylvia	

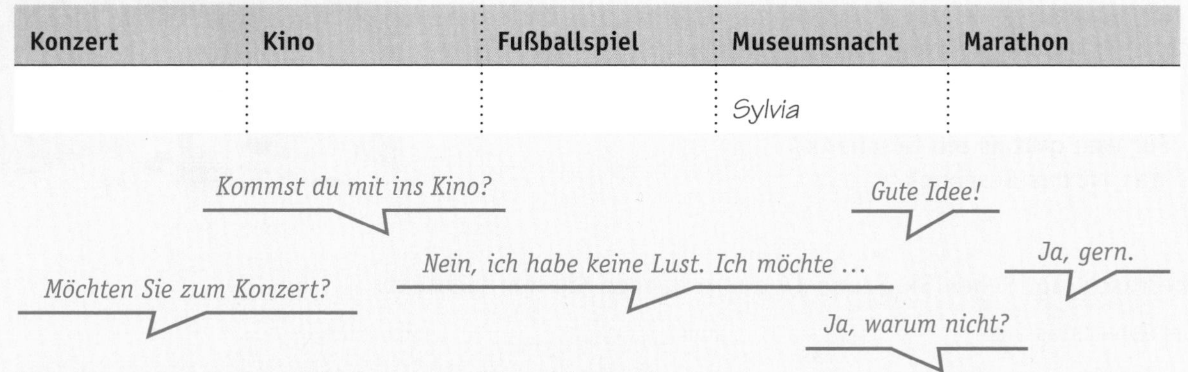

d Was kann man in Ihrer Stadt machen? Berichten Sie.

Der Film

17 a Hast du Zeit? Sehen Sie Szene 12 und beantworten Sie die Fragen.

6.12

Was macht Bea am Nachmittag? Hat Felix morgen Zeit? Was ist am Mittwoch?

Am Nachmittag lernt Bea Englisch mit …

b Sehen Sie die Szene noch einmal. Bringen Sie Beas Äußerungen in die richtige Reihenfolge. Spielen Sie dann den Dialog.

6.12

Felix
- Hast du heute Nachmittag schon was vor?
- Morgen kann ich leider nicht. Aber dann … viel Spaß beim Joggen.
- Keine Zeit.
- Ehrlich? Gibst du eine Party?
- Okay, ich komme gern.

Bea
- ___ Das weiß ich noch nicht. Du bist der Erste, den ich frage.
- ___ He, warte mal. Was machst du nächste Woche?
- ___ Am Mittwoch habe ich nämlich Geburtstag.
- ___ Okay, ich sag Bescheid.
- _1_ Ich muss mit Ella Englisch lernen. Sie schreibt nächste Woche einen Test. Aber morgen hätte ich Zeit.

c Arbeiten Sie zu zweit. Was denken Bea und Felix? Ordnen Sie zu.

Oh nein – nicht wegfahren! • Schade! • Ich sage nicht sofort „ja"! • Die ist ja nett!

Hast du heute Nachmittag schon was vor?

Ich muss mit Ella Englisch lernen.

He, warte mal. Was machst du nächste Woche?

Keine Zeit.

d Wen ruft Felix an? Raten Sie.

18 a Im Restaurant. Sehen Sie das Foto an und schreiben Sie einen Dialog. Sehen Sie dann Szene 13 und vergleichen Sie.

6.13

b Sehen Sie die Szene noch einmal. Mit wem telefoniert Martin Berg? Für wen gibt es ein Geschenk? Was ist das Geschenk?

6.13

19 Überraschung! Sehen Sie Szene 14 und ergänzen Sie den Liedtext.

6.14

Zum Geburtstag viel ____________, zum ____________ viel Glück,
zum Geburtstag, ____________ Bea, zum ____________ viel ____________!

Kurz und klar

eine Einladung schreiben

Hallo/Liebe/Lieber ...,
wir machen ein Fest / ... Wir laden dich/euch herzlich ein. Der Treffpunkt ist am/in ...
Wir fangen um ... an. Unser Programm: ... Kannst du / Könnt ihr ... mitbringen?
Hoffentlich hast du / habt ihr Zeit!
Liebe/Viele Grüße

im Restaurant bestellen und bezahlen

Was möchten Sie trinken/bestellen?
Und für Sie?
Möchten/Wollen Sie auch etwas essen?

- Für mich bitte ein Wasser / eine Cola.
- Ich hätte gern einen Apfelsaft.
- Ja. Ich nehme einen Salat.
- Ja. Für mich bitte eine Suppe.

Zahlen bitte. / Entschuldigung, kann ich / können wir bitte zahlen?

- Einen Moment, bitte. / Ja, gern. Das macht (zusammen) ... Euro.

Stimmt so.

über ein Ereignis sprechen

Gefallen ausdrücken ☺

Das war super/klasse!
Wir hatten Glück!
Der Tag war toll!
Ich hatte viel Spaß.

Missfallen ausdrücken ☹

... war nicht gut.
Wir hatten zu wenig ...
Der Tag / Das war langweilig.

Grammatik

Datumsangaben: Wann? – Am ...

1. **ersten**	5. fünf**ten**	9. neun**ten**	13. dreizehn**ten**	21. einundzwanzig**sten**
2. zwei**ten**	6. sechs**ten**	10. zehn**ten**	14. vierzehn**ten**	22. zweiundzwanzig**sten**
3. **dritten**	7. **siebten**	11. elf**ten**	15. fünfzehn**ten**	30. dreißig**sten**
4. vier**ten**	8. **achten**	12. zwölf**ten**	20. zwanzig**sten**	31. einunddreißig**sten**

Trennbare Verben

Sie	**laden**	die Freunde	**ein**.
Sie	**holen**	Sofia zusammen	**ab**.
Sie	**können**	am Samstag	**mitkommen**.

ab|holen, an|fangen, an|rufen, ein|laden, ein|sammeln, mit|bringen, mit|kommen, ...

Präteritum: *haben* und *sein*

	haben	**sein**
ich	hatte	war
du	hatt**est**	war**st**
er/es/sie	hatte	war
wir	hatt**en**	war**en**
ihr	hatt**et**	war**t**
sie	hatt**en**	war**en**
Sie	hatt**en**	war**en**

Personalpronomen im Akkusativ

ich	**mich**	wir	**uns**
du	**dich**	ihr	**euch**
er	**ihn**	sie	**sie**
es	**es**	Sie	**Sie**
sie	**sie**		

Präposition *für* + Akkusativ

Für wen ist das Wasser?
Das Wasser ist **für ihn** / **den** Hund.

2 Plattform

Wiederholungsspiel

1 **Spielen Sie zu fünft: 2 Spielerpaare und 1 Experte.**
Welches Spielerpaar hat am Ende die meisten Punkte?

Werfen Sie eine Münze:

Bild
→ Spielen Sie einen Dialog zu dem Bild oben.

Zahl
→ Lösen Sie die Aufgabe unten.

Der Experte entscheidet:

Wie war Ihr Dialog?
Sehr gut → 5 Punkte.
Gut → 3 Punkte.
Nicht so gut → 1 Punkt.

War Ihre Antwort richtig? → 3 Punkte.

Der Experte notiert die Punkte auf einem Zettel. Er bekommt aus dem Lehrerhandbuch Informationen zu den Dialogen und Aufgaben.

4

5

6

Ziel

Wie heißen die Formen?
ich kann, du ...,
er/es/sie ...,
wir ..., ihr ...,
sie/Sie ...

Wie heißen die Wörter? Nennen Sie die Wörter mit Artikel und Plural.

Bilden Sie einen Satz mit dem Verb *einladen*.

4

5

6

Ziel

Wie heißen die Formen?
ich will, du ...,
er/es/sie ...,
wir ..., ihr ...,
sie/Sie ...

Wie heißen die Wörter? Nennen Sie die Wörter mit Artikel und Plural.

Bilden Sie einen Satz mit dem Verb *anrufen*.

Zeit

2 a **Sehen Sie das Bild an. Worum geht es?**

b **Arbeiten Sie in Gruppen. Sammeln Sie Ideen für ein Zeit-Gedicht oder ein Zeit-Bild. Machen Sie nun selbst eines. Benutzen Sie auch ein Wörterbuch. Vielleicht helfen die Bilder?**

c **Machen Sie eine Ausstellung mit den Bildern und Gedichten im Kursraum.**

3 a **Sehen Sie die Fotos an. Woran denken Sie: viel oder wenig Zeit? Schreiben Sie die Fotonummern in die Tabelle.**

	viel Zeit	wenig Zeit
Foto		

b **Vergleichen Sie Ihre Ergebnisse im Kurs.**

4

a **Ihre Zeit: Für welche Dinge brauchen Sie viel Zeit? Für welche möchten Sie mehr Zeit haben?**

Ich brauche viel Zeit für ...

Ich möchte mehr Zeit für ...

b **Sammeln Sie im Kurs Ihre Wünsche für mehr Zeit an der Tafel.**

Arbeitsbuch

1 Guten Tag!

1

Deutsch international. Welche deutschen Wörter gibt es in Ihrer Muttersprache? Schreiben Sie.

englisch:
(the) kindergarten

französisch:
(le) waldsterben

____
____
____
____
____
____
____

Hallo! Tschüs!

2

a Was sagen die Leute? Ergänzen Sie.

Tschüs. • Ich heiße Peter. • ~~Danke, gut.~~ Und dir?

1.
◆ Hallo, Anna! Wie geht's?
◇ *Danke, gut. ...* .
◆ Auch gut, danke.

2.
◆ Hallo, ich bin Tina.
◇ Hallo! ______________ .

3.
◆ Tschüs!
◇ ______________ . Bis bald!

1.2–3

b Ordnen Sie die Dialoge und hören Sie zur Kontrolle. Lesen Sie dann.

Dialog 1

☐ Entschuldigung. Wie heißt du?
☐ Kilian.
☐ Hallo, Valentin, ich bin Kilian.
1 Hallo, ich heiße Valentin. Und wer bist du?

Dialog 2

☐ Auch gut, danke.
☐ Sehr gut, danke. Und dir?
☐ Hallo, Jakob! Wie geht's?
☐ Hallo, Conny!

c Schreiben Sie eigene Dialoge wie in Aufgabe 2b. Zerschneiden Sie die Dialoge. Ihr Partner / Ihre Partnerin ordnet.

Wie heißt du?

Maria.

d Ergänzen Sie.

1. ◆ Hallo, ich heiße Nina. Wie *heißt* ______ du? ◇ Ich ______ Emma.
2. ◆ Ich bin Julia. Und wer ______ du? ◇ Ich ______ Klara.
3. ◆ Hallo, Anne! Wie ______? ◇ Danke, ______. Und ______?

Lernen Sie häufige Fragen und Antworten auswendig.
Wie geht's? – Danke, gut.
Wie heißt du? – Ich heiße ...

e Ordnen Sie zu.

Wie geht's?

Es geht. • Gut, danke. • Sehr gut!

☺☺ ______ ☺ ______ 😐 ______

Guten Tag! Auf Wiedersehen!

3 a Was passt wo? Ordnen Sie zu.

Guten Abend! • Gute Nacht! • Auf Wiedersehen! • Guten Morgen! • Tschüs! • Guten Tag!

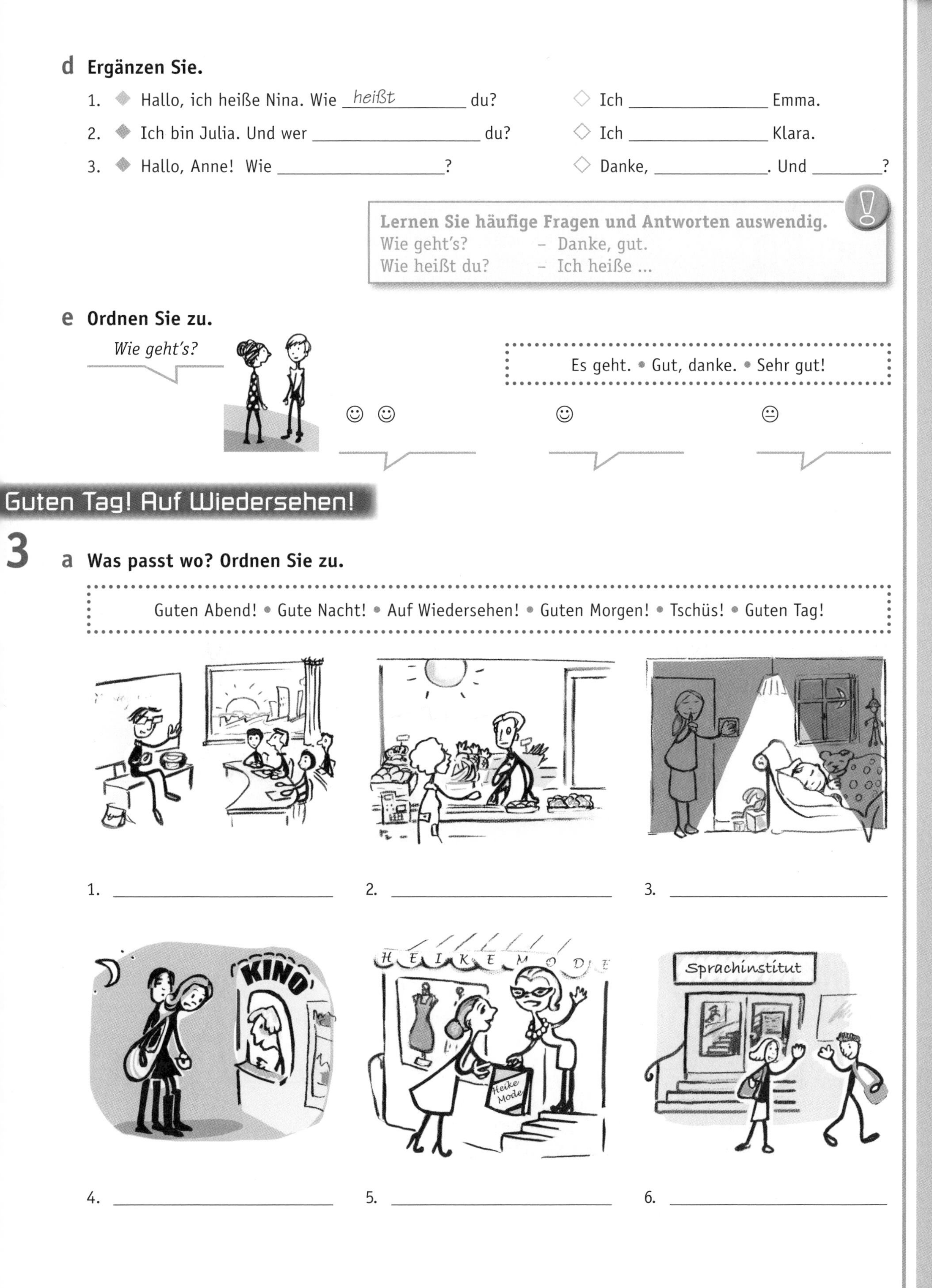

1. ______ 2. ______ 3. ______

4. ______ 5. ______ 6. ______

b ***Sie* oder *du*? Ergänzen Sie.**

1. ◆ Guten Tag. Ich heiße Müller. Wie heißen ____________?
   ◇ Mein Name ist Wörner, Pia Wörner.

2. ◇ Hallo. Ich heiße Pia. Und wer bist ____________?
   ◆ Ich heiße Tom.

c **Ergänzen Sie.**

1. ◆ Hallo, ich bin Maria. Und das ist Klara.
   ◇ Entschuldigung, wie ________ du?
   ◆ Klara.

2. ◆ Guten Tag! Mein Name ______ Tina Kleber.
   ◆ Guten Tag! Ich heiße Anne Grams.
   ◆ Entschuldigung, wie __________ Sie?
   ◆ Grams, Anne Grams.

1.4–7

d **Hören Sie und ordnen Sie die Dialoge den Bildern zu.**

1.4–7

e **Hören Sie noch einmal: formell *Sie* oder informell *du*? Kreuzen Sie an.**

Dialog	1	2	3	4
	Sie ☐ du ☐	Sie ☐ du ☐	Sie ☐ du ☐	Sie ☐ du ☐

Wie heißen Sie?

4

a Fragen und Antworten. Ordnen Sie zu.

1 _D_ Wie heißen Sie?
2 ___ Wo wohnst du?
3 ___ Woher kommen Sie?
4 ___ Welche Sprachen sprechen Sie?
5 ___ Wer bist du?
6 ___ Wo wohnen Sie?
7 ___ Woher kommst du?

A Aus Irland. Und Sie?
B Englisch und Deutsch.
C Emilia.
D Mein Name ist Kunze.
E Aus Brasilien. Und du?
F In Stuttgart. Und Sie?
G In Berlin. Und du?

b Wie – Wer – Wo – Woher? Ergänzen Sie.

1. ◆ Ich bin Emma Reiter. Und __________ sind Sie? ◇ Ich bin Beate Müller.
2. ◆ Ich wohne in Salzburg. __________ wohnen Sie? ◇ Auch in Salzburg.
3. ◆ Ich bin Peter. __________ heißt du? ◇ Claudia.
4. ◆ __________ kommst du? ◇ Aus Deutschland.

1.8–10

c Hören Sie die Fragen und schreiben Sie die Antworten.

1. _Ich ..._
2. __________
3. __________

d Ergänzen Sie die Tabelle.

	heißen	wohnen	kommen	sein
ich	_heiße_			
du			_kommst_	
er/sie		_wohnt_		
Sie				_sind_

e Ergänzen Sie.

ich • Sie • du • er • sie

1. ◆ Paul kommt aus Österreich. __________ wohnt in Innsbruck.
2. ◆ Wie heißt __________? ◇ Maria. Und du?
3. ◆ Das ist Claudia. __________ kommt aus Deutschland.
4. ◆ Wo wohnen __________? ◇ In Berlin. Und Sie?
5. ◆ Hallo, __________ bin Luisa.

Wortschatz **f** **Ordnen Sie zu. Notieren Sie.**

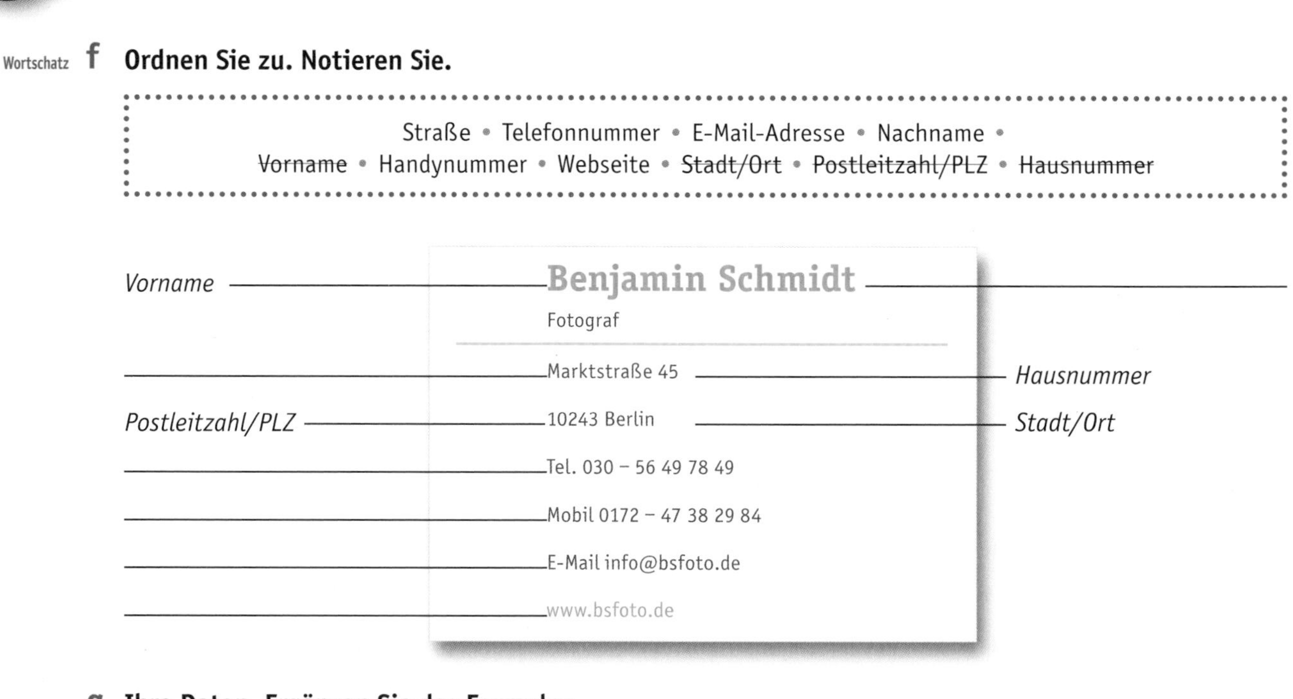

g **Ihre Daten. Ergänzen Sie das Formular.**

Sprachschule „Zentral" – Anmeldung

Vorname	________	Nachname	________
Straße	________	PLZ Stadt	________
Telefonnummer	________	Handynummer	________
E-Mail-Adresse	________		

5 **a** **Ergänzen Sie die Verben in der richtigen Form.**

1. ◆ Mein Name ist Beate Müller. Und wie *heißen* Sie?
   ◆ Ich ________ Emma Reiter.
2. ◆ Ich ________ in Berlin. Und du? Wo ________ du?
   ◆ In Salzburg.
3. ◆ Woher ________ Sie? Aus England?
   ◆ Nein, ich ________ aus Australien.
4. ◆ Das ist Paolo. Er ________ aus Italien.
   ◆ Und wo ________ er?
   ◆ In Rom.

1. heißen, 2. heißen/sein, wohnen, wohnen, 3. kommen, kommen, 4. kommen, wohnen

b Schreiben Sie die Sätze und die Fragen richtig in die Tabelle.

1. in Berlin / wohnen / ich / .
2. Sie / heißen / wie / ?
3. sein / wer / du / ?
4. ich / aus Moskau / kommen / .
5. heißen / er / Peter / .
6. kommen / woher / du / ?
7. sein / mein Name / Nina / .
8. du / wohnen / wo / ?

Aussagesatz		
1. Ich	*wohne*	*in Berlin.*
W-Frage		
2. Wie	*heißen*	*Sie?*
	Verb	

c Im Chat. Lesen Sie. Wer ist das? Ergänzen Sie die Namen.

Matti 09	Hallo Sky? Bist du neu?
Sky 2015	Ja.
Matti 09	Woher kommst du? Aus Ungarn?
Sky 2015	Nein. Aus Polen. Und du?
Matti 09	Ich komme aus Finnland. Wo wohnst du?
Sky 2015	In Warschau. Und in Hamburg. Wo wohnst du?
Matti 09	In Berlin. Wie heißt du wirklich?
Sky 2015	Mein Name ist Sky. Tschüs!

Matti oder Sky?

Matti kommt aus Finnland.

_______ wohnt in Warschau und in Hamburg.

_______ kommt aus Polen.

_______ wohnt in Berlin.

d Schreiben Sie die Fragen zu den Antworten.

1. ◆ ____________________? ◇ Fabio. Und du?
2. ◆ ____________________? ◇ Aus Rom.
3. ◆ ____________________? ◇ In Frankfurt.

Zahlen und Buchstaben

6

a Lesen Sie und ergänzen Sie die Zahlen.

null: *0*	3: *drei*	sechs: ______	8: ______
elf: ______	14: ______	siebzehn: ______	20: ______

1.11

b Hören Sie und schreiben Sie die Zahlen.

1. *2 - 4 - ...*
2. ______
3. ______
4. ______

1.12–15

c Welche Telefonnummer hören Sie? Kreuzen Sie an.

1. 34 88 679 ☐	2. 56 12 14 ☐	3. 0174 – 90 34 89 05 ☐	4. 99 84 14 35 ☐
34 89 679 ☐	56 12 24 ☐	0174 – 90 34 89 04 ☐	79 84 14 35 ☐

d Wie ist die Telefonnummer? Spielen Sie zu zweit. Fragen Sie und notieren Sie die Antwort.

Wie ist die Telefonnummer von Doktor Müller?

Die Nummer ist ...

A Telefonnummern

Doktor Müller:	______
Kati:	19 57 46 23
Ahmed Kortulus:	______
Frau Schmidt:	65 47 13 07
Klaus Koch:	______
Mario:	0173 – 40 40 33 91

B Telefonnummern

Doktor Müller:	37 45 901
Kati:	______
Ahmed Kortulus:	0171 – 89 89 56 66
Frau Schmidt:	______
Klaus Koch:	34 05 71
Mario:	______

7

1.16–19

a Hören Sie. Wie heißen die Leute? Notieren Sie die Namen.

1. ______
2. ______
3. ______
4. ______

b Buchstabieren Sie die Namen von Stars. Die anderen im Kurs nennen die Namen.

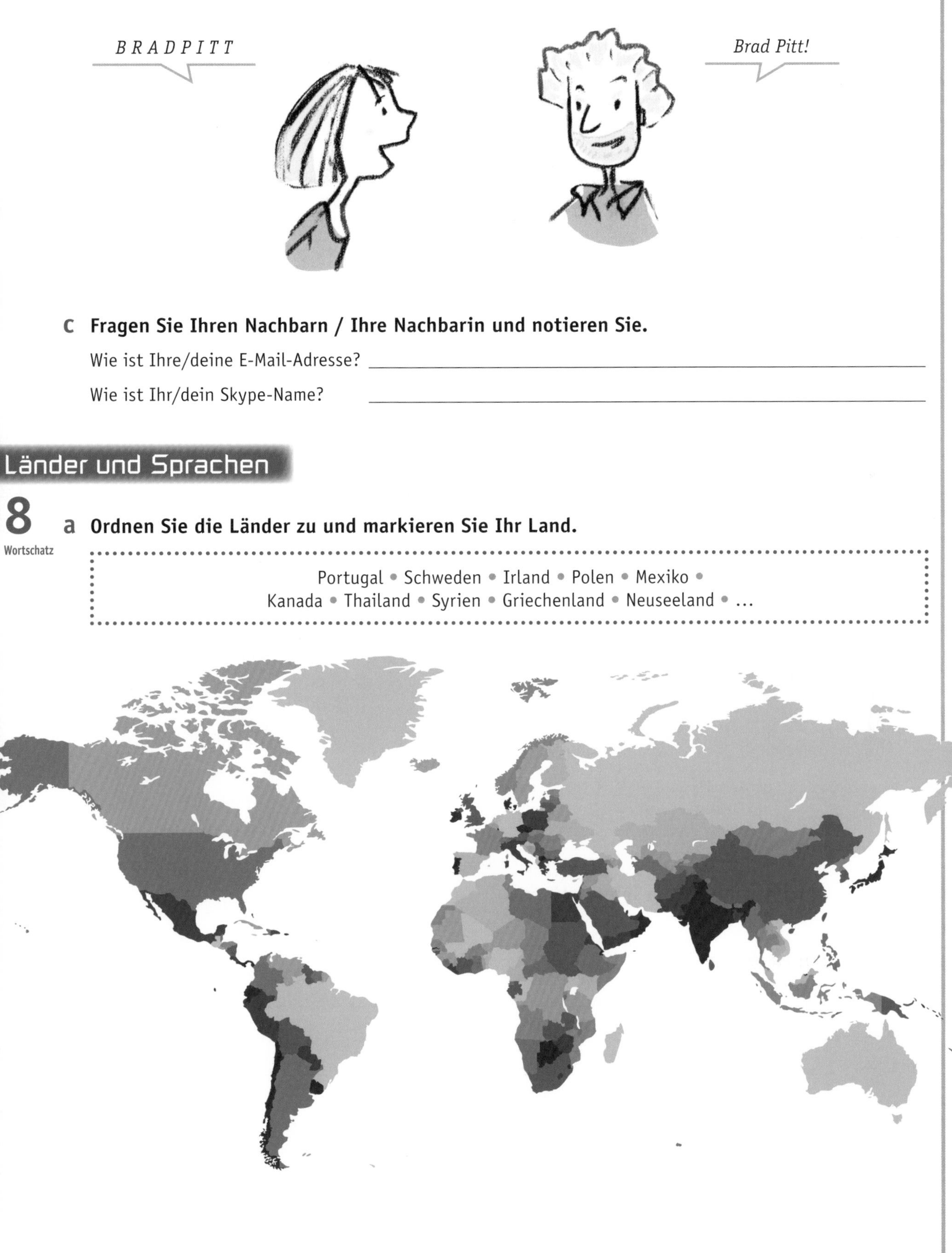

c Fragen Sie Ihren Nachbarn / Ihre Nachbarin und notieren Sie.

Wie ist Ihre/deine E-Mail-Adresse? ______________________

Wie ist Ihr/dein Skype-Name? ______________________

Länder und Sprachen

8 Wortschatz

a Ordnen Sie die Länder zu und markieren Sie Ihr Land.

Portugal • Schweden • Irland • Polen • Mexiko • Kanada • Thailand • Syrien • Griechenland • Neuseeland • …

Wortschatz **b Notieren Sie die Sprache(n).**

1. Portugal - *Portugiesisch*
2. Schweden - ______
3. Polen - ______
4. Mexiko - ______
5. Kanada - ______
6. Thailand - ______
7. Irland - ______
8. Syrien - ______
9. Griechenland - ______
10. Neuseeland - ______

Polnisch • Englisch • Spanisch • Irisch • ~~Portugiesisch~~ • Arabisch • Schwedisch • Griechisch • Maori • Thai • Französisch

Wortschatz **c Was passt zusammen? Ordnen Sie zu.**

Woher kommen Sie?

1	___ aus	A	USA/Niederlanden/...
2	___ aus der	B	Türkei/Schweiz/Ukraine/Slowakei/...
3	___ aus dem	C	Deutschland/Spanien/Italien/China/Dänemark/...
4	___ aus den	D	Irak/Iran/Libanon/Jemen/...

d Schreiben Sie fünf Sätze.

1. Woher	lerne	in Amsterdam.
2. Ich	ist	er?
3. Ben	spricht	du?
4. Das	kommst	Beate Walder.
5. Welche Sprache	wohnt	Chinesisch.

1. Woher kommst ...

1.20–21 **e Hören Sie und ergänzen Sie die Informationen.**

1

Name: *Lorena Steiner*

Land: ______

Stadt: ______

Sprachen: ______

2

Name: ______

Land: ______

Stadt: ______

Sprachen: ______

f Schreiben Sie kurze Texte.

Sie heißt Lorena Steiner und sie ...

Das kann ich nach Kapitel 1

R1 Schreiben Sie Dialoge und spielen Sie die Situationen.

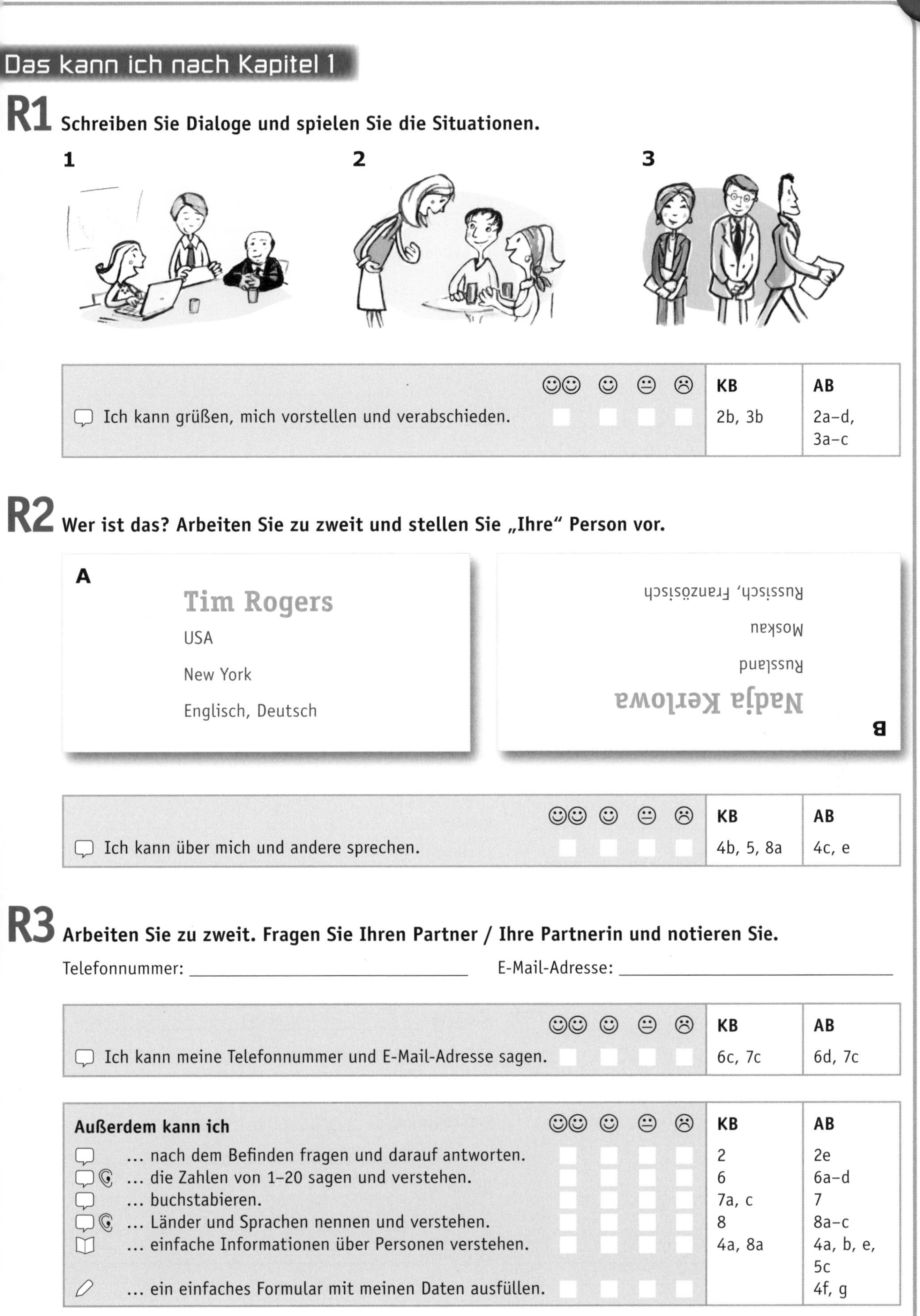

1 2 3

Ich kann grüßen, mich vorstellen und verabschieden.	☺☺	☺	😐	☹	KB	AB
Ich kann grüßen, mich vorstellen und verabschieden.					2b, 3b	2a–d, 3a–c

R2 Wer ist das? Arbeiten Sie zu zweit und stellen Sie „Ihre" Person vor.

A

Tim Rogers
USA
New York
Englisch, Deutsch

B

Nadja Kerlowa
Russland
Moskau
Russisch, Französisch

	☺☺	☺	😐	☹	KB	AB
Ich kann über mich und andere sprechen.					4b, 5, 8a	4c, e

R3 Arbeiten Sie zu zweit. Fragen Sie Ihren Partner / Ihre Partnerin und notieren Sie.

Telefonnummer: ______________________ E-Mail-Adresse: ______________________

	☺☺	☺	😐	☹	KB	AB
Ich kann meine Telefonnummer und E-Mail-Adresse sagen.					6c, 7c	6d, 7c

Außerdem kann ich	☺☺	☺	😐	☹	KB	AB
... nach dem Befinden fragen und darauf antworten.					2	2e
... die Zahlen von 1–20 sagen und verstehen.					6	6a–d
... buchstabieren.					7a, c	7
... Länder und Sprachen nennen und verstehen.					8	8a–c
... einfache Informationen über Personen verstehen.					4a, 8a	4a, b, e, 5c
... ein einfaches Formular mit meinen Daten ausfüllen.						4f, g

Lernwortschatz Kapitel 1

Persönliche Informationen

der Name, -n ______
der Vorname, -n ______
der Nachname, -n ______
die Telefonnummer, -n ______
die Handynummer, -n ______
die Hausnummer, -n ______
die E-Mail-Adresse, -n ______
die Webseite, -n ______
die Straße, -n ______
die Postleitzahl (= PLZ), -en ______
die Stadt, Städte ______
das Land, Länder ______
Deutschland ______
Österreich ______
die Schweiz ______
die Sprache, -n ______
deutsch ______
Wie ...? ______
Wer ...? ______
Wo ...? ______
Woher ...? ______
Welche Sprachen sprechen Sie? ______
buchstabieren ______
heißen ______
kommen ______
lernen ______
sein ______
sprechen ______
wohnen ______

Grüßen und verabschieden

Hallo. ______
Guten Morgen. ______
Guten Tag. ______
Guten Abend. ______
Gute Nacht. ______
Tschüs. ______
Auf Wiedersehen. ______

Zahlen

null ______
eins ______
zwei ______
drei ______
vier ______
fünf ______
sechs ______
sieben ______
acht ______
neun ______
zehn ______
elf ______
zwölf ______
dreizehn ______
vierzehn ______
fünfzehn ______
sechzehn ______
siebzehn ______
achtzehn ______
neunzehn ______
zwanzig ______

Andere wichtige Wörter und Wendungen

Entschuldigung. ______
Wie geht's? ______
Danke, gut. ______
Sehr gut. ______
Es geht. ______

Wichtig für mich:

Notieren Sie fünf wichtige W-Fragen:

Wie heißt du?

Welche Länder sind das? Notieren Sie die Namen.

Wie heißen die Städte?

2 Freunde, Kollegen und ich

1

a Was machen die Leute gern? Welcher Satz passt? Kreuzen Sie an.

1. [a] Ich chatte gern.
   [b] Ich fotografiere gern.

2. [a] Ich singe gern.
   [b] Ich höre gern Musik.

3. [a] Sie reisen gern.
   [b] Sie joggen gern.

4. [a] Ich koche sehr gern.
   [b] Ich gehe gern ins Kino.

5. [a] Sie schwimmen sehr gern.
   [b] Sie tanzen sehr gern.

6. [a] Ich wohne gern in Spanien.
   [b] Ich lerne gern Spanisch.

1.22–24

b Hören Sie. Welche Sätze sind richtig? Kreuzen Sie an.

1. [a] Nina Weber schwimmt gern.
   [b] Sie geht nicht gern ins Kino.
   [c] Sie chattet nicht gern.

2. [a] Gregor Jamek reist sehr gern.
   [b] Er hört nicht gern Musik.
   [c] Er fotografiert gern.

3. [a] Julia Rossi tanzt nicht gern.
   [b] Sie joggt sehr gern.
   [c] Julia singt gern.

2

a Schreiben Sie für ein Interview Fragen mit *du*. Verwenden Sie alle Verben.

chatten • fotografieren • joggen • ~~reisen~~ • schwimmen • singen • tanzen

Reist du gern?

____

b Was machen Sie gern? Was machen Sie nicht gern?

Ich ______________________ gern. Ich ______________________ nicht gern.

Meine Hobbys, meine Freunde

3

a Ordnen Sie die Substantive. Die Wortliste auf Seite 161–166 hilft.

~~Fußball~~ • Buch • Stadt • Kino • Musik • Rucksack • Freund • Hobby • Autobahn

der	das	die
der Fußball		

b Was ist richtig: a oder b? Kreuzen Sie an.

1. [a] Ich lese sehr gern. Ich liebe Bücher.
   [b] Wir lesen sehr gern. Wir lieben Bücher.
2. [a] Sie kochen gern. Sie haben nur ein Hobby: Kochen.
   [b] Sie kocht gern. Sie hat nur ein Hobby: Kochen.
3. [a] Er spielt gern Fußball. Und er ist super!
   [b] Sie spielt gern Fußball. Und sie ist super!

c Was ist richtig? Kreuzen Sie an.

1. Ich reist ☐ reise ☒ gern.
2. Tom kocht ☐ kochen ☐ nicht gern.
3. Nina singst ☐ singt ☐ sehr gern.
4. Wir lesen ☐ lese ☐ nicht gern.
5. Tom und Markus spielen ☐ spielt ☐ gern.
6. Und du? Liest ☐ Lest ☐ du gern?
7. Tanzen ☐ Tanzt ☐ Sie gern, Frau Weber?
8. Chattest ☐ Chattet ☐ du gern?

d Was machen die Leute? Ergänzen Sie die Endungen.

1. Julia schwimm*t* gern.
2. Julia und Nina jogg___ gern.
3. Gregor geh___ gern ins Kino.
4. Er lies___ nicht gern.
5. Nina und Gregor hör___ gern Musik.
6. Fotografier___ ihr gern?
7. Ich sing___ nicht.
8. Wir chatt___ oft.
9. Koch___ du gern?
10. Reis___ Sie gern, Herr Hansen?

e Schreiben Sie Sätze.

1. Emily / nicht gern / chatten / . *Emily chattet nicht gern.*
2. Boris / tanzen / gern / . ______
3. Eva / sehr gern / fotografieren / . ______
4. Eva und Nina / gern / reisen / . ______
5. Ina / sprechen / gern / Deutsch / . ______
6. Boris / nicht gern / lesen / . ______

4 Schreiben Sie die Verben in der richtigen Form.

1. Ich *höre* (hören) sehr gern Musik. Aber ich ______ (tanzen) nicht gern.
2. Andrea ______ (spielen) gern Fußball. Und sie ______ (chatten) auch gern.
3. Katja und Tom ______ (joggen) nicht gern. Aber sie ______ (schwimmen) gern.
4. Tom ______ (gehen) gern ins Kino. Und er ______ (hören) gern Musik.
5. Markus und Hannes ______ (kochen) nicht gern. Sie ______ (lesen) auch nicht gern.
6. Nina und ich, wir ______ (reisen) gern. Und wir ______ (fotografieren) gern.

Gehen wir ins Kino?

5 a Wochentage. Welche Wörter sind deutsch? Markieren Sie. Ergänzen Sie Ihre Sprache.

Monday	Martedì	4ª Feira	Donnerstag	Fredag	Sabato	Domingo
2ª Feira	Tuesday	Çarşamba	Torsdag	Freitag	Cumartesi	Söndag
Måndag	Sali	Mittwoch	Giovedì	6ª Feira	Samstag	Sunday
Pazartesi	Dienstag	Onsdag	5ª Feira	Friday	Lördag	Domenica
Montag	3ª Feira	Mercoledì	Thursday	Cuma	Sábado	Pazar
Lunedì	Tisdag	Wednesday	Perşembe	Venerdì	Saturday	Sonntag

b Schreiben Sie die Wochentage.

6	So	
7	Mo	
8	Di	
9	Mi	
10	Do	
11	Fr	
12	Sa	
13	So	
14	Mo	

c Ergänzen Sie. Notieren Sie das Lösungswort.

C A F É

Lösungswort: ____________________

.25–27

d Hören Sie. Was machen die Personen? Kreuzen Sie an.

1. Sie	gehen	☐ am Mittwoch	☐ ins Kino.
		☐ am Donnerstag	☐ ins Café.
		☒ am Freitag	☐ ins Museum.
2. Sie	gehen	☐ am Montag	☐ ins Theater.
		☐ am Samstag	☐ ins Restaurant.
		☐ am Sonntag	☐ ins Museum.
3. Sie	gehen	☐ am Sonntag	☐ ins Schwimmbad.
		☐ am Montag	☐ ins Fußballstadion.
		☐ am Dienstag	☐ ins Restaurant.

e Schreiben Sie einen Dialog. Achten Sie auf die Satzzeichen.

gehenwirammontaginscafé — *Gehen wir am Montag ins Café?*
neindasgehtleidernicht — ____________________
gehtesamdienstag — ____________________
jadasgeht — ____________________

, . ? . ? ,

f Schreiben Sie Ja-/Nein-Fragen.

1. wir / am Dienstag / ins Museum / gehen — *Gehen wir am Dienstag ins Museum?*
2. ihr / am Mittwoch / ins Kino / gehen — ____________________
3. du / am Donnerstag / ins Theater / gehen — ____________________
4. Sie / am Freitag / ins Restaurant / gehen — ____________________
5. wir / am Samstag / ins Schwimmbad / gehen — ____________________
6. Sie / am Sonntag / ins Fußballstadion / gehen — ____________________

6

a Satzmelodie: Frage oder Antwort? Ergänzen Sie „ . “ oder „ ? “. Lesen Sie laut.

1. ◆ Hören Sie gern Musik___ ◇ Ja, sehr gern___ Und Sie___
2. ◆ Gehen Sie gern ins Kino___ ◇ Nein, nicht so gern___ Und Sie___
3. ◆ Hallo, Julia___ Wie geht's___ ◇ Danke, gut___ Und dir___ Wie geht's dir___
4. ◆ Hallo, Gregor___ Wie geht es dir___ ◇ Danke, sehr gut___ Und dir___

1.28 **b Hören Sie und kontrollieren Sie.**

1.28 **c Hören Sie noch einmal und sprechen Sie mit.**

d Satzmelodie: Frage oder Antwort? Ergänzen Sie „.“ oder „?“.

Montag – am Montag – Was machen wir am Montag_?_

Dienstag – am Dienstag – Geht es am Dienstag___

Mittwoch – am Mittwoch – Julia kommt am Mittwoch___

Donnerstag – am Donnerstag – Arbeiten Sie am Donnerstag___

Freitag – am Freitag – Ins Café gehe ich am Freitag___

Samstag – am Samstag – Was machen Sie am Samstag___

Sonntag – am Sonntag – Frei habe ich am Sonntag___

1.29 **e Hören Sie und kontrollieren Sie.**

1.29 **f Hören Sie noch einmal und sprechen Sie mit.**

Mein Beruf

7

a Ordnen Sie zu.

1 _D_ Harun Arslan ist
2 ____ Er arbeitet
3 ____ In Wolfsburg arbeiten
4 ____ Herr Arslan hat zwei Tage frei:

A 50.000 Menschen.
B Montag und Dienstag.
C bei VW in Wolfsburg.
D Techniker.

b Ergänzen Sie.

hat • ~~ist~~ • ist • lernt • reist • studieren • studiert

Silke Jonas _ist_ (1) Studentin. Sie ____________ (2) Architektur in Köln. Sie ____________ (3) von Montag bis Donnerstag an der Uni. Am Freitag, Samstag und Sonntag ____________ (4) sie frei. In Köln ____________ (5) 670 Studenten Architektur – zu viele! Silke Jonas ____________ (6) auch Spanisch. Sie ____________ (7) gern nach Spanien.

c Ordnen Sie Fragen und Antworten zu.

1 _D_ Was ist Fabian Höflinger von Beruf?
2 ___ Wo arbeitet Herr Höflinger?
3 ___ Wann arbeitet er?
4 ___ Wann hat er frei?

A Bei „Taxi Zentral".
B Sechs Tage pro Woche.
C Am Montag.
D Taxifahrer.

d Zahlen. Schreiben Sie die Zahlen in die Tabelle.

achtzig • dreißig • hundert • neunzig • sechzig • fünfzig • vierzig • ~~zehn~~ • zwanzig • siebzig

10	20	30	40	50
zehn				
60	70	80	90	100

1.30

e Hören Sie und notieren Sie die Zahlen. Schreiben Sie dann die Wörter.

A _27_ _siebenundzwanzig_
B ___ ___
C ___ ___
D ___ ___
E ___ ___
F ___ ___
G ___ ___
H ___ ___

f Spielen Sie mit zwei Würfeln. Sprechen Sie die Zahlen.

Würfel 1

Würfel 2

Zweiundfünfzig.

8 Notieren Sie die Pluralformen.

Ärzte • Ärztinnen • Berufe • Bücher • Cafés • Frauen • Hobbys • Kinos • Mitarbeiter • Nächte • Studentinnen • Taxifahrer • ~~Techniker~~ • Wörter

Singular	Plural	Singular	Plural
der Techniker	die Techniker	die Frau	
der Taxifahrer	die	die Studentin	
der Mitarbeiter		die Ärztin	
der Beruf		das Wort	
der Arzt		das Buch	
die Nacht		das Café	
das Hobby		das Kino	

Was sind Sie von Beruf?

9 Wortschatz

a Wie heißen diese Berufe? Notieren Sie unter dem Bild. Ergänzen Sie in Ihrer Sprache.

~~der Hausmeister~~ • die Juristin • die Lehrerin • der Elektriker • der Programmierer

der Hausmeister ________ ________ ________ ________

________ ________ ________ ________ ________

b Notieren Sie drei weitere wichtige Berufe. Arbeiten Sie mit dem Wörterbuch.

________ ________ ________

c Interview. Fragen Sie Ihren Partner / Ihre Partnerin. Notieren Sie die Informationen.

ich	Fragen	Mein Partner
	Was sind Sie von Beruf? / Was bist du von Beruf?	
	Wo arbeiten Sie? / Wo studieren Sie? Wo arbeitest du? / Wo studierst du?	
	Wann arbeiten Sie? / Wann arbeitest du?	
	Wann haben Sie frei? / Wann hast du frei?	
	Was machen Sie gern? / Was machst du gern?	
	Was machen Sie nicht gern? / Was machst du nicht gern?	

d Berufe – Männer und Frauen. Ergänzen Sie.

der Arzt ________ / die Ärztin

________ / die Ingenieurin

der Student / ________

der Journalist / ________

________ / die Technikerin

________ / die Architektin

________ / die Taxifahrerin

der Professor / ________

Ihr Beruf: ________ / ________

~~der Arzt~~ • der Ingenieur • der Techniker • der Architekt • die Professorin • die Studentin • die Journalistin • der Taxifahrer

e Ergänzen Sie die Verben in der richtigen Form.

1. Was _bist_ du von Beruf? (sein) 2. Wo ______ du? (arbeiten) 3. Frau Miller ______ Professorin. (sein) 4. Sie ______ in Berlin. (arbeiten) 5. Ich ______ viele Freunde. (haben) 6. Sie ______ Studenten. (sein) 7. Wir ______ heute nicht. (arbeiten) 8. Wir ______ frei. (haben)

10 Schreiben Sie Sätze.

ich / ... / sein / . _Ich bin ..._

ich / bei ... / arbeiten / . ______

ich / in ... / studieren / . ______

ich / von ... bis ... / arbeiten / . ______

ich / am ... / frei / haben / . ______

Jahreszeiten in D-A-CH

11 a Suchen Sie die Monate und die Jahreszeiten. Markieren Sie.

A	F	D	F	J	A	U	G	U	S	T	K	O	J	E	N
Ö	E	S	O	M	M	E	R	Y	E	N	A	M	A	I	O
B	B	N	A	P	R	I	L	J	P	R	O	C	N	L	V
F	R	Ü	H	L	I	N	G	U	T	E	K	K	U	H	E
Q	U	W	E	R	T	Z	H	N	E	F	T	W	A	B	M
O	A	D	R	F	J	U	L	I	M	E	O	C	R	E	B
K	R	E	B	M	Ä	R	Z	F	B	B	B	I	L	S	E
T	B	Z	S	G	G	K	F	D	E	Z	E	M	B	E	R
O	F	E	T	W	I	N	T	E	R	U	R	L	L	O	T

b Welches Wort passt nicht? Streichen Sie durch.

1. das Kino	das Theater	~~der Frühling~~	das Museum
2. die Professorin	der Student	die Firma	die Uni
3. der Arzt	der Techniker	die Journalistin	das Buch
4. die Stunde	der Tag	der Mensch	die Woche
5. der Beruf	die Freizeit	die Arbeitszeit	der Arbeitsplatz

c Welche Verben passen? Notieren Sie.

~~fahren~~ • fotografieren • lesen • schwimmen • spielen

das Auto _fahren_

das Schwimmbad ______

das Buch ______

der Fußball ______

das Foto ______

Willkommen bei …

12 a Welche Wörter aus dem Formular passen zu den Fragen? Notieren Sie.

Vorname	______	Nachname	______	☐ weiblich	☐ männlich
Geburtsdatum	______	E-Mail	______	Telefonnummer	______
Wohnort	______	Schule	______	Arbeit bei	______
Interessen	______	Lieblingsmusik	______	Lieblingsfilm	______

1. Wie heißen Sie? *Name (Vorname, Nachname)*
2. Wo wohnen Sie? ______
3. Wo arbeiten Sie? ______
4. Was machen Sie gern? ______
5. Welche Musik hören Sie gern? ______

b Lesen Sie. Schreiben Sie die Daten ins Formular.

Tobias Gruber ist am 7. Dezember 1980 in Deutschland geboren. Er wohnt schon 3 Jahre in Wien. Er ist Programmierer und arbeitet in einem Krankenhaus. Er reist gern, und er geht auch gern ins Kino.

______ Vorname	______ Nachname
______ Geburtsdatum	______ Wohnort
______ Beruf	______ Hobbys

1.31

c Hören Sie das Gespräch. Welche Daten sind richtig? Ergänzen Sie das Formular.

Eli • Elias • Mauer • Maurer • Parkstraße 17 • Parkstraße 7 • 80734 München • 18713 München • elias.maurer@gmx.de • elias_maurer@gmx.com

______ Vorname	______ Nachname
______ Straße	______ PLZ – Stadt
______ E-Mail-Adresse	

Das kann ich nach Kapitel 2

R1 **Hören Sie. Welche Antwort ist richtig? Kreuzen Sie an.**

1.32–33

	Beruf	Arbeitszeit	Freizeit
Monika Schulz	☐ Taxifahrerin	☐ Dienstag bis Samstag	☐ am Wochenende
	☐ Technikerin	☐ Montag bis Freitag	☐ Sonntag und Montag
Cem Atan	☐ Student	☐ auch am Wochenende	☐ Mittwoch bis Freitag
	☐ Arzt	☐ Montag bis Donnerstag	☐ Montag und Dienstag

	☺☺	☺	😐	☹	KB	AB
Ich kann einfache Informationen über Beruf, Arbeitszeit und Freizeit verstehen.	☐	☐	☐	☐	1, 11c	1b, 5d, 9c, 12c

R2 **Was machen Sie gern? Sprechen Sie mit einem Partner / einer Partnerin.**

A

Fragen Sie Ihren Partner.
reisen, chatten, schwimmen, tanzen

Ihr Partner fragt. Antworten Sie.
Das machen Sie:
☺ kochen, 😐 joggen,
☹ fotografieren, singen

B

Ihr Partner fragt. Antworten Sie.
Das machen Sie:
☺ reisen, schwimmen, 😐 chatten,
☹ tanzen

Fragen Sie Ihren Partner.
kochen, fotografieren, joggen, singen

	☺☺	☺	😐	☹	KB	AB
Ich kann über Hobbys sprechen.	☐	☐	☐	☐	2, 3a, b, 4	2b, 3b–e, 4

R3 **Was sind Sie von Beruf? Ordnen Sie die Antworten zu.**

1 _____ Was sind Sie von Beruf?
2 _____ Wann arbeiten Sie?
3 _____ Wo arbeiten Sie?
4 _____ Wann haben Sie frei?

A Am Wochenende, Samstag und Sonntag.
B An der Uni in Berlin.
C Von Montag bis Freitag.
D Professorin.

	☺☺	☺	😐	☹	KB	AB
Ich kann über Arbeit, Beruf, Arbeitszeit sprechen.	☐	☐	☐	☐	7c, 9	9c, 10

Außerdem kann ich	☺☺	☺	😐	☹	KB	AB
... einfache Informationen über Jahreszeiten verstehen.	☐	☐	☐	☐	11a–c	
... Wochentage, Monate, Jahreszeiten benennen und verstehen.	☐	☐	☐	☐	5, 11	5a–b, 11a
... die Zahlen ab 20 nennen und verstehen.	☐	☐	☐	☐	7b	7d–f
... einfache Informationen über Beruf, Arbeitszeit und Freizeit verstehen.	☐	☐	☐	☐	7	7a–c 12b
... ein einfaches Profil im Internet erstellen.	☐	☐	☐	☐	12a–b	12a–c

Lernwortschatz Kapitel 2

Personen

die Frau, -en ______
der Freund, -e ______
die Freundin, -nen ______
der Herr, -en ______
der Kollege, -n ______
die Kollegin, -nen ______
die Leute (Plural) ______
der Mensch, -en ______
der Partner, – ______
die Partnerin, -nen ______
die Person, -en ______

Hobbys

das Buch, Bücher ______
das Foto, -s ______
fotografieren ______
die Freizeit ______
das Hobby, -s ______
der Lieblingsfilm, -e ______
die Lieblingsmusik ______
die Musik ______
chatten ______
kochen ______
lesen ______
reisen ______
schwimmen ______
singen ______
spielen ______
tanzen ______
gern (= gerne) ______
sehr gern ______
Fußball spielen ______
Musik hören ______
nach Paris reisen ______

In der Freizeit

das Café, -s ______
das Fußballstadion, -stadien ______
das Kino, -s ______
das Museum, Museen ______
das Restaurant, -s ______
das Schwimmbad, -bäder ______
das Theater, – ______
freihaben ______
Am Wochenende habe ich frei. ______
ins Café gehen ______
Gehen wir ins Kino? ______
Ja, super! ______
Nein, das geht leider nicht. ______

Berufe und Arbeit

der Beruf, -e ______
der Architekt, -en ______
die Architektin, -nen ______
der Arzt, Ärzte ______
die Ärztin, -nen ______
der Boxer, – ______
die Boxerin, -nen ______
die Firma, Firmen ______
der Ingenieur, -e ______
die Ingenieurin, -nen ______
der Journalist, -en ______
die Journalistin, -nen ______
der Koch, Köche ______
die Köchin, -nen ______
der Professor, -en ______
die Professorin, -nen ______
der Student, -en ______
die Studentin, -nen ______
der Taxifahrer, – ______
die Taxifahrerin, -nen ______

der Techniker, – ______
die Technikerin, -nen ______
studieren ______
bei VW arbeiten ______
Techniker bei VW sein ______

der Kalender, – ______
der Tag, -e ______
der Termin, -e ______
die Woche, -n ______
das Wochenende, -n ______

Informationen zur Person

das Formular, -e ______
das Geburtsdatum, -daten ______
der Geburtsort, -e ______
der Geburtstag, -e ______
der Name, -n ______
der Nachname, -n ______
der Vorname, -n ______
der Wohnort, -e ______
männlich ______
weiblich ______
ein Formular ausfüllen ______
Wann hast du Geburtstag? ______

die Monatsnamen

Januar (= Jänner A) ______
Februar ______
März ______
April ______
Mai ______
Juni ______
Juli ______
August ______
September ______
Oktober ______
November ______
Dezember ______
im Dezember ______

die Wochentage

Montag ______
Dienstag ______
Mittwoch ______
Donnerstag ______
Freitag ______
Samstag ______
Sonntag ______

Jahreszeiten

die Jahreszeit, -en ______
der Frühling ______
der Sommer ______
der Herbst ______
der Winter ______

Wichtig für mich:

______
______
______

Schreiben Sie die Wochentage und Monate auf Deutsch in Ihren Kalender.

3 In der Stadt

1

a Bremen. Ergänzen Sie die Wörter.

Fluss • Geschäfte • ~~Häfen~~ • Jahre • Menschen • Rathaus • Schiffe • Städte • Türme • Züge

Es gibt zwei *Häfen*: in Bremen und in Bremerhaven. Die Städte liegen an der Weser. Die Weser ist ein großer ______________. Pro Jahr fahren hier 9 000 ______________.

Hier arbeiten 300 Menschen – für 100 000 Passagiere. Täglich fahren 500 ______________ – nach Hamburg, München und in andere ______________. Es gibt 30 ______________ und Restaurants.

Der Dom St. Petri ist schon über 800 ______________ alt. Die ______________ sind 92 m hoch. In 68 m Höhe ist eine Plattform (nach 265 Stufen).

Das Bremer ______________ ist 600 Jahre alt und das Symbol von Bremen. Viele ______________ besuchen es jedes Jahr.

b Wie heißen die Wörter richtig? Schreiben Sie und ergänzen Sie den Artikel.

1. TASUHAR *das Rathaus*
2. LUHGEFFAN ______________
3. OHBAFNH ______________
4. RATMK ______________
5. REICHK ______________
6. EHNAF ______________

c Was gibt es in Ihrer Stadt? Notieren Sie.

Meine Stadt

Fluss: Wolga

Die Taxifahrt

2 1.34

a Eine Taxifahrt. Hören Sie und nummerieren Sie.

___ Museum ___ Kirche ___ Bahnhof

___ Theater _1_ Rathaus

b Ergänzen Sie den Dialog. Spielen Sie dann zu zweit.

Und das? Ist das eine Kirche? • ~~Hallo~~, fahren Sie mich bitte zum Bahnhof. • Nein. • Auf Wiedersehen. • Interessant. • Hier bitte.

◆ Guten Tag!
◆ *Hallo, …*
______
◆ Ja, gern. Kennen Sie Berlin?
◆ ______
◆ Hier ist das Stadttheater.
◆ ______
◆ Das Stadttheater ist über hundert Jahre alt.
◆ ______
◆ Ja, das ist die Nikolaikirche. Und hier ist der Bahnhof. Das macht 8 Euro.
◆ ______
◆ Vielen Dank. Tschüs.
◆ ______

c Welcher Artikel passt? Notieren Sie die Wörter mit Artikel.

Taxi See der Bahnhof die das der Fluss das die der Rathaus das Hotel der Flughafen Kirche Straße

das Taxi, ______

3

a Welcher Artikel passt? Schreiben Sie die Wörter in die Tabelle.

~~Name~~ • Adresse • Nummer • Zahl • Land • Sprache • Person • Buch • Fußball • Wochenende • Theater • Restaurant • Museum • Schwimmbad • Auto • Techniker • Studentin • Arzt • Klinik • Stunde • Tag • Woche • Monat • Jahr

der	das	die
Name,		

b Wie heißt der Artikel? Wählen Sie und markieren Sie die Lösungen farbig.

1. *38* der *17* das *26* die Bahnhof
2. *58* der *44* das *36* die Rathaus
3. *56* der *40* das *58* die Hafen
4. *24* der *4* das *46* die Kirche
5. *14* der *53* das *34* die Stadt
6. *50* der *28* das *48* die Hotel
7. *12* der *27* das *2* die Markt
8. *10* der *15* das *30* die Fluss

1	2	3	4	5	6	7	8	9	10
20	19	18	17	16	15	14	13	12	11
21	22	23	24	25	26	27	28	29	30
40	39	38	37	36	35	34	33	32	31
41	42	43	44	45	46	47	48	49	50
60	59	58	57	56	55	54	53	52	51

4

a *ein* oder *eine*? Notieren Sie den bestimmten Artikel und kreuzen Sie den unbestimmten Artikel an.

1. *die* Stadt ein ☐ eine ☒
2. ______ Restaurant ein ☐ eine ☐
3. ______ Straße ein ☐ eine ☐
4. ______ Bahnhof ein ☐ eine ☐
5. ______ Rathaus ein ☐ eine ☐
6. ______ Markt ein ☐ eine ☐

b Was ist das? Ergänzen Sie *ein*, *eine* oder ■.

1. Das Thalia ist *ein* Theater.
2. Im Hafen sind ■ Schiffe.
3. Bremen ist ________ Stadt.
4. Taxifahrer ist ________ Beruf.
5. Auf dem Markt kauft man ________ Fische.
6. Der Michel ist ________ Kirche.
7. Nina ist ________ Name.
8. Österreich ist ________ Land.

c Was passt zusammen? Verbinden Sie.

1 *C* Ist das ein Fluss?
2 ___ Wir suchen ein Hotel.
3 ___ Wo ist hier ein Restaurant?
4 ___ Ist das ein Geschäft?
5 ___ Wo ist ein Markt?

A Nein, das ist ein Büro.
B In der Hafenstraße ist der Fischmarkt.
C Ja, das ist die Elbe.
D Ein Restaurant ist hier.
E Hier ist das Hotel „Alster".

d Zwei Freunde in der Stadt. Ergänzen Sie den Dialog.

◆ Ich bin das erste Mal in Köln.
◆ Also dann das Programm für Touristen!
◆ Sehr gern. Ich bin Tourist!
◆ Also hier ist das Römisch-Germanische Museum.
◆ Interessant. Und (1) *was ist das*?
◆ Das ist ein Restaurant, echt super.
◆ Hm. (2) ______________________________?
◆ Nein, das ist kein Bahnhof, das ist das Rathaus.
◆ (3) ______________________________?
◆ Der Bahnhof ist dort.
◆ (4) ______________________________?
◆ Ja, das ist ein Fluss. Das ist der Rhein.
◆ Sehr schön. (5) ______________________________?
◆ Ich wohne hier, Bürgerstr. 37.
◆ Super!

Ist das ein Fluss? • Wo ist der Bahnhof? • Und das, ist das ein Bahnhof? • ~~was ist das?~~ • Wo wohnst du?

5

a Ist der Vokal lang oder kurz? Was hören Sie?

1.35

	lang	kurz		lang	kurz		lang	kurz
1. Name	☒	☐	4. sind	☐	☐	7. wie	☐	☐
2. Sprache	☐	☐	5. bist	☐	☐	8. danke	☐	☐
3. Fluss	☐	☐	6. lesen	☐	☐	9. gut	☐	☐

1.35

b Hören Sie noch einmal und sprechen Sie mit.

1.36

c Hören Sie und sprechen Sie nach.

Bahnhof Bus Hamburg Land Markt Rathaus sprechen Straße Test

Kein Glück?!

6

Wortschatz

a Ordnen Sie die Wörter zu.

der Bus • das Fahrrad • das Flugzeug • die S-Bahn • die Straßenbahn • die U-Bahn

______________________ ______________________

______________________ ______________________

______________________ ______________________

b Welche Verkehrsmittel finden Sie in der Wortschlange? Markieren Sie. Die freien Buchstaben ergeben ein anderes Verkehrsmittel.

STBUSRATAXISSEAUTONBFAHRRADAHZUGNUBAHN

Lösungswort: die S T _ _ _ _ _ _ _ _ _ _

c Wie heißen Artikel und Plural für die Verkehrsmittel aus Aufgabe 6b? Notieren Sie. Arbeiten Sie mit dem Wörterbuch.

der Bus, die Busse ______ ______, ______

______ ______, ______ ______ ______, ______

______ ______, ______ ______ ______, ______

d Was ist das? *ein/eine/*■ oder *kein/keine*? Notieren Sie die Antwort.

1. Auf Bild 1 sind _ein_ Bus und ______ Fahrkarte, aber ________ Fahrrad.
2. Auf Bild 2 sind ______ Mann und ______ Auto, aber ________ Frau.
3. Auf Bild 3 sind ______ Schiffe, aber ________ Flugzeuge.
4. Auf Bild 4 sind _____ Bahnhof und _____ Züge, aber _______ Menschen.

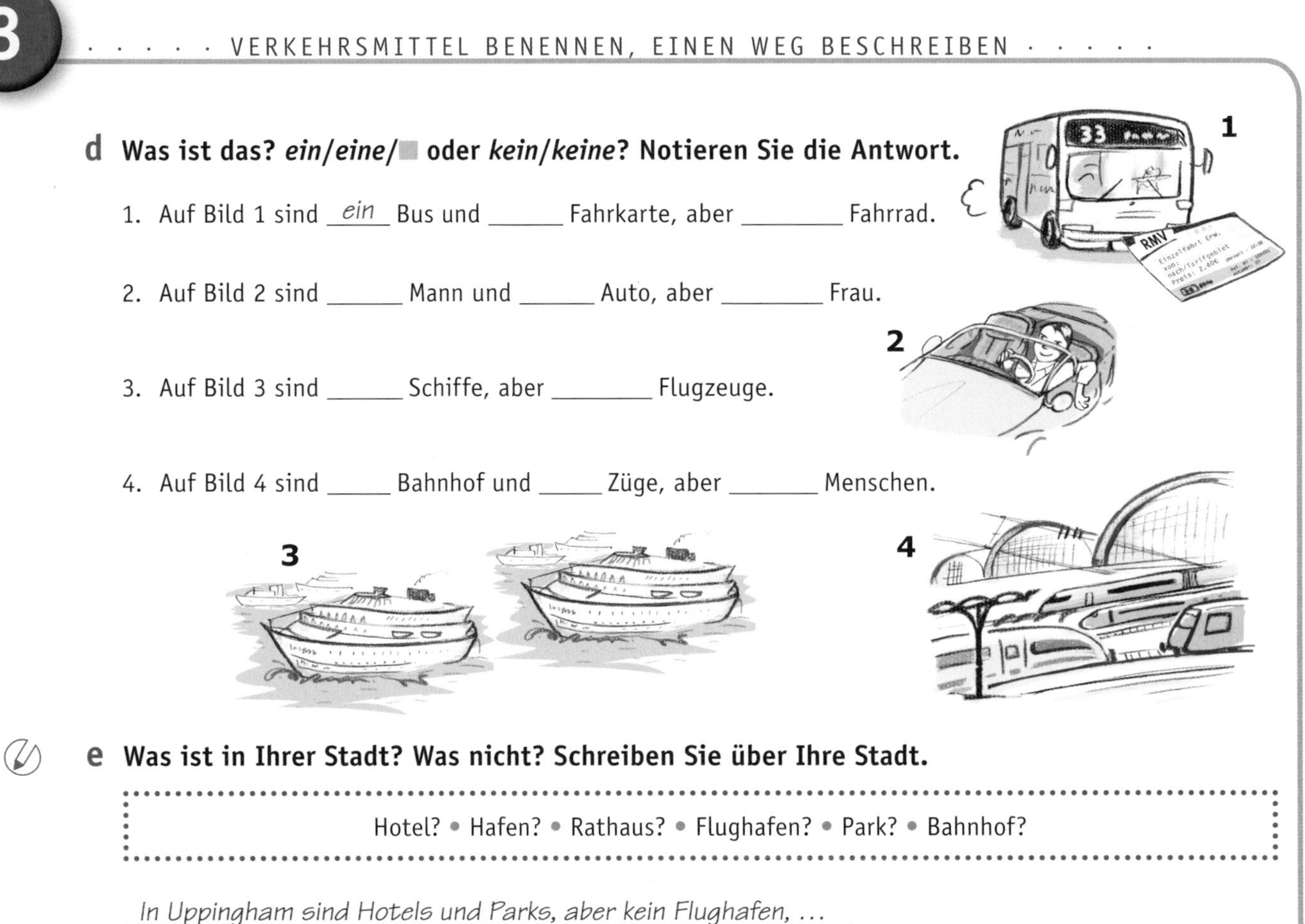

e Was ist in Ihrer Stadt? Was nicht? Schreiben Sie über Ihre Stadt.

Hotel? • Hafen? • Rathaus? • Flughafen? • Park? • Bahnhof?

In Uppingham sind Hotels und Parks, aber kein Flughafen, …

Links, rechts, geradeaus

7 **Hören Sie und sehen Sie den Plan an. Welcher Weg ist das: 1, 2 oder 3? Was ist dort? Schreiben Sie die Gebäude in den Plan.**

1.37–39

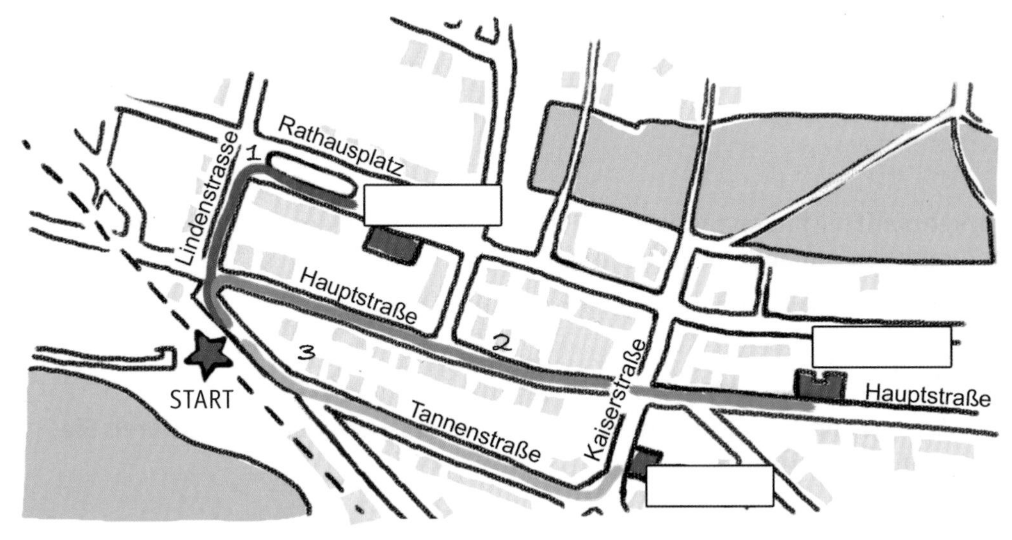

Dialog 1: Weg __________ Dialog 2: Weg __________ Dialog 3: Weg __________

8 **a** **Ergänzen Sie *links, rechts, geradeaus*.**

1.
◆ Entschuldigung, wo ist der Bahnhof?
◆ Gehen Sie *rechts* ______ und dann ______. Da ist der Bahnhof.

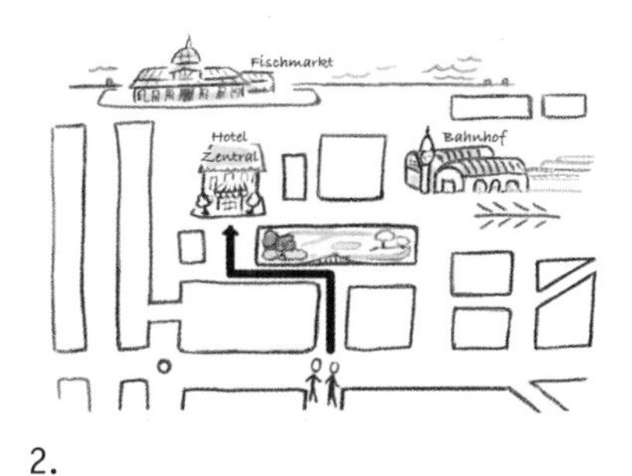

2.
◆ Hallo, ich suche das Hotel „Zentral".
◆ Das ist einfach. Gehen Sie hier ______. Da ist der Park. Da gehen Sie ______ und dann gleich wieder ______.

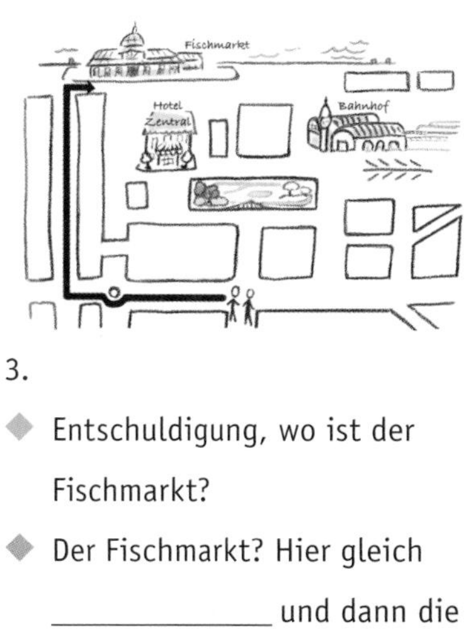

3.
◆ Entschuldigung, wo ist der Fischmarkt?
◆ Der Fischmarkt? Hier gleich ______ und dann die Straße ______. Dann ______ und wieder ______, dann ______ und Sie sind da.

b **Imperativ mit *Sie*. Was soll der Mann machen?**

1. *Gehen Sie links!* ______ links gehen
2. ______ mit Bus 51 fahren
   Der Bus fährt zur U-Bahn-Station.
3. ______ mit der U-Bahn fahren
   Dann sind Sie am Bahnhof. Dort ist die Hauptstraße.
4. ______ 100 m geradeaus gehen
   Dann kommt die Goethestraße.
5. ______ links gehen
   Und dann sind Sie am Hotel „Schiller"!

c **Antworten Sie. Die Pfeile in Klammern helfen.**

1. Entschuldigung, wo ist das Rathaus?
   Gehen Sie geradeaus, ... ______ (↑, dann →)
2. Ich suche das Hotel „Alster".
   ______ (←, dann →)
3. Wo ist der Hafen, bitte?
   ______ (←, dann ↑)
4. Entschuldigung. Wo ist der Bahnhof?
   ______ (↑, ←, →)

d **Arbeiten Sie zu zweit. Notieren Sie drei Orte in der Nähe von Ihrem Kursort. Fragen Sie Ihren Partner / Ihre Partnerin. Er/Sie antwortet.**

Events in Hamburg

9

1.40

a **Hören Sie. Welches Wort ist deutsch? Kreuzen Sie an und notieren Sie das Wort.**

1. [a] [b] [c] ____________
2. [a] [b] [c] ____________
3. [a] [b] [c] ____________
4. [a] [b] [c] ____________

b **Lesen Sie die 6 Anzeigen. Welche Anzeige passt zu den Personen? Ordnen Sie zu.**

1. Familie Orzan hört gern Mozart. Anzeige ______
2. Benedikt und Yasmin finden Kino toll. Anzeige ______
3. Frederik hat am Montag Zeit für seine Kinder. Anzeige ______
4. Johanna hört gern deutsche Rockmusik. Anzeige ______

Hamburg rockt und swingt
Alster-Jazz-Tage
vom 21.5.–30.05.
in den Bars rund um die Alster
Karten an der Abendkasse
oder unter www.alsterjazz.de
A

Neu im Musical-Theater
30.05.–15.06.
Musik der Kultband „Queen"
„We will rock you!"
mit Live-Musik, Videos und Lichtshow
Karten ab 29,– €
B

Open-Air-Festival am Ring
Internationale und deutsche Stars:
Culcha Candela, Peter Fox, Zaz, Coldplay, Rob Zombie, Söhne Mannheims, ...
10.06. und 11.06.
Karten: 1 Tag 25,–€ • 2 Tage 40,–€
Rock das ganze Wochenende!
C

!!! Filmnacht im Filmpalast !!!
2 Topfilme
und danach Party bis 6 Uhr
Jeden Samstag um 22 Uhr
Karten 15,– €
Popcorn inklusive
D

c **Lesen Sie die Anzeigen in 9b noch einmal. Markieren Sie die internationalen Wörter.**

d **Suchen Sie Anzeigen in Ihrer Sprache. Welche Wörter in den Anzeigen sind ähnlich wie im Deutschen – oder in einer anderen Sprache? Notieren Sie fünf Wörter und die Wörter in Ihrer Sprache.**

	Ihre Sprache	Deutsch	Andere Sprache
1.			
2.			
3.			
4.			
5.			

Artikel lernen

10 **Arbeiten Sie mit dem Wörterbuch. Suchen Sie fünf Wörter im Wörterbuch. Wie heißt der Artikel? Wie heißt der Plural?**

Artikel	Wort	Plural

11

a ***der, das* oder *die*? Markieren Sie die Wörter in der passenden Farbe und ergänzen Sie den Artikel.**

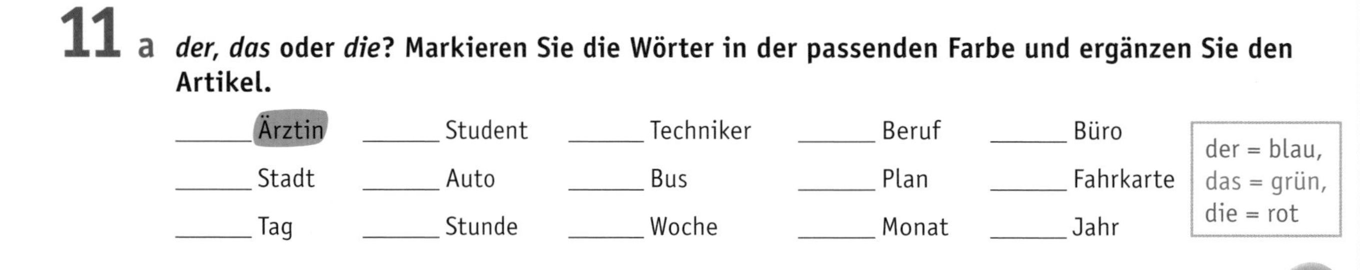

______ Ärztin	______ Student	______ Techniker	______ Beruf	______ Büro
______ Stadt	______ Auto	______ Bus	______ Plan	______ Fahrkarte
______ Tag	______ Stunde	______ Woche	______ Monat	______ Jahr

der = blau,
das = grün,
die = rot

Substantive und Artikel
Notieren Sie Substantive und Artikel immer zusammen – mit drei Farben: *der, das* und *die.*

b **Malen Sie die Wörter in der passenden Farbe.**

Buch Schiff Turm Mann Straße

c **Arbeiten Sie mit den Lernwortschatzseiten (S. 110/111). Markieren Sie alle Substantive mit Artikel in der passenden Farbe.**

d **Arbeiten Sie zu dritt. Notieren Sie Substantive aus Kapitel 1–3 mit Artikel auf Kärtchen. Legen Sie die Kärtchen in die Mitte. Einer liest das Substantiv ohne Artikel, die anderen nennen den Artikel. Wer sagt es zuerst richtig? Der bekommt die Karte. Dann nimmt der Nächste eine Karte und liest vor.**

Das kann ich nach Kapitel 3

R1 **Wie heißt das auf Deutsch? Schreiben Sie die Wörter mit Artikel.**

_______ _______ _______ _______ _______ _______

	☺☺	☺	😐	☹	KB	AB
Ich kann Plätze und Gebäude benennen.					1b, 2a, b	1

R2 **Sprechen Sie mit einem Partner / einer Partnerin.**
A fragt nach dem Weg zum Bahnhof.
B fragt nach dem Weg zum Markt.

Beschreiben Sie den Weg.

Bahnhof
Markt

	☺☺	☺	😐	☹	KB	AB
Ich kann nach dem Weg fragen und einen Weg beschreiben.					8	8

R3 **Formulieren Sie die Fragen und Antworten.**

1. (Museum? ~~Museum~~ Theater) *Ist das ein Museum? Nein, das ist kein Museum. Das ist ein Theater.*
2. (Hotel? ~~Hotel~~ Restaurant) _______
3. (Bahnhof? ~~Bahnhof~~ Flughafen) _______

	☺☺	☺	😐	☹	KB	AB
Ich kann Fragen zu Orten stellen.					4b–d, 6c	2b, 4c–d

Außerdem kann ich	☺☺	☺	😐	☹	KB	AB
... einfache Wegbeschreibungen verstehen.					7	7, 8d
... Verkehrsmittel benennen.					6	6
... meine Heimatstadt beschreiben.					1d	1c, 6e
... Texte mit internationalen Wörtern verstehen.					9	9b, c
... Texte einer Bildgeschichte zuordnen.					6a, b	
... Notizen zu einer Stadt machen.					1d	1c

Lernwortschatz Kapitel 3

Mit Verkehrsmitteln unterwegs

der Bus, -se ______
das Fahrrad,-räder ______
das Flugzeug, -e ______
der Passagier, -e ______
das Schiff, -e ______
die S-Bahn, -en ______
die Straßenbahn, -en ______
das Ticket, -s ______
die Fahrkarte, -n ______
die U-Bahn, -en ______
der Zug, Züge ______
fahren ______
kaufen ______

Orte in der Stadt

der Bahnhof, -höfe ______
der Flughafen, -häfen ______
der Fluss, Flüsse ______
das Geschäft, -e ______
der Hafen, Häfen ______
das Hotel, -s ______
die Kirche, -n ______
der Markt, Märkte ______
das Meer, -e ______
der Ort, -e ______
der Park, -s ______
das Rathaus, -häuser ______
der See, -n ______
die Stadt, Städte ______
die Straße, -n ______
der Terminal, -s ______
der Turm, Türme ______
der Weg, -e ______
ansehen ______
besuchen ______

sehen ______
alle ______
alt ______
breit ______
groß ______
hoch ______
kurz ______
lang ______
modern ______
schön ______
In Hamburg gibt es … ______
Das Rathaus ist 240 Jahre alt. ______

Orientierung in der Stadt

der Meter, – ______
der Plan, Pläne ______
fragen ______
gehen ______
suchen ______
da ______
dann ______
einfach ______
geradeaus ______
links ______
rechts ______
Können Sie mir bitte helfen? ______
Ich suche … ______

Veranstaltungen

das/der Event, -s ______
das Festival, -s ______
der Film, -e ______
das Konzert, -e ______
das Orchester, – ______

Andere wichtige Wörter und Wendungen

der Besucher, – ____________________

der Test, -s ____________________

Ach so! ____________________

aha ____________________

also ____________________

heute ____________________

jetzt ____________________

schnell ____________________

Oh je! ____________________

Hilfe! ____________________

So ein Glück! ____________________

Wichtig für mich:

____

____

____

Welche Verkehrsmittel benutzen Sie? Markieren Sie in der Liste.

Malen Sie einen Plan von Ihrer Stadt. Was gibt es dort?

Prüfungstraining A1

In den Plattformkapiteln im Arbeitsbuch bereiten Sie sich auf A1-Prüfungen vor. Sie trainieren Prüfungen am Beispiel der Prüfung *Start Deutsch 1*. Die Prüfung besteht aus vier Teilen: Lesen, Hören, Schreiben und Sprechen. Lesen, Hören und Schreiben machen Sie allein, beim Sprechen arbeiten Sie in der Gruppe.

Die Prüfungsteile

Hören	**Training in Plattform**
Teil 1: Sie hören 6 Gespräche.	1
Teil 2: Sie hören 4 Durchsagen.	3
Teil 3: Sie hören 5 Nachrichten auf dem Anrufbeantworter oder Ansagen.	4
Lesen	
Teil 1: Sie verstehen Informationen in einer Mail, einem Brief.	2
Teil 2: Sie verstehen einfache Texte im Alltag.	3
Teil 3: Sie verstehen kurze Informationstexte.	4
Schreiben	
Teil 1: Sie füllen ein Formular aus.	2
Teil 2: Sie schreiben eine E-Mail.	4
Sprechen	
Teil 1: Sie stellen sich vor.	1
Teil 2: Sie bitten um Informationen und geben selbst Informationen.	2
Teil 3: Sie formulieren Bitten und reagieren darauf.	3

Hören: Teil 1 – Kurze Alltagsgespräche verstehen

1 **Was können Sie schon? Kreuzen Sie an:**

Ich kann…

☐ … einfache Informationen über Beruf, Arbeitszeit und Freizeit verstehen.

☐ … einfache Informationen über Jahreszeiten verstehen.

☐ … eine einfache Wegbeschreibung verstehen.

☐ … Zahlen verstehen.

Sie hören in der Prüfung (Hören: Teil 1) sechs kurze Gespräche.
Zu jedem Gespräch gibt es eine Aufgabe mit drei Bildern.

2 **Die Aufgabenstellung verstehen. Lesen Sie die Aufgabenstellung und kreuzen Sie an: Richtig (r) oder falsch (f)?**

Sie hören kurze Gespräche. Zu jedem Text gibt es eine Aufgabe. Lesen Sie zuerst die Aufgabe, hören Sie dann den Text dazu. Kreuzen Sie die richtige Lösung an.
Sie hören jeden Text zweimal.

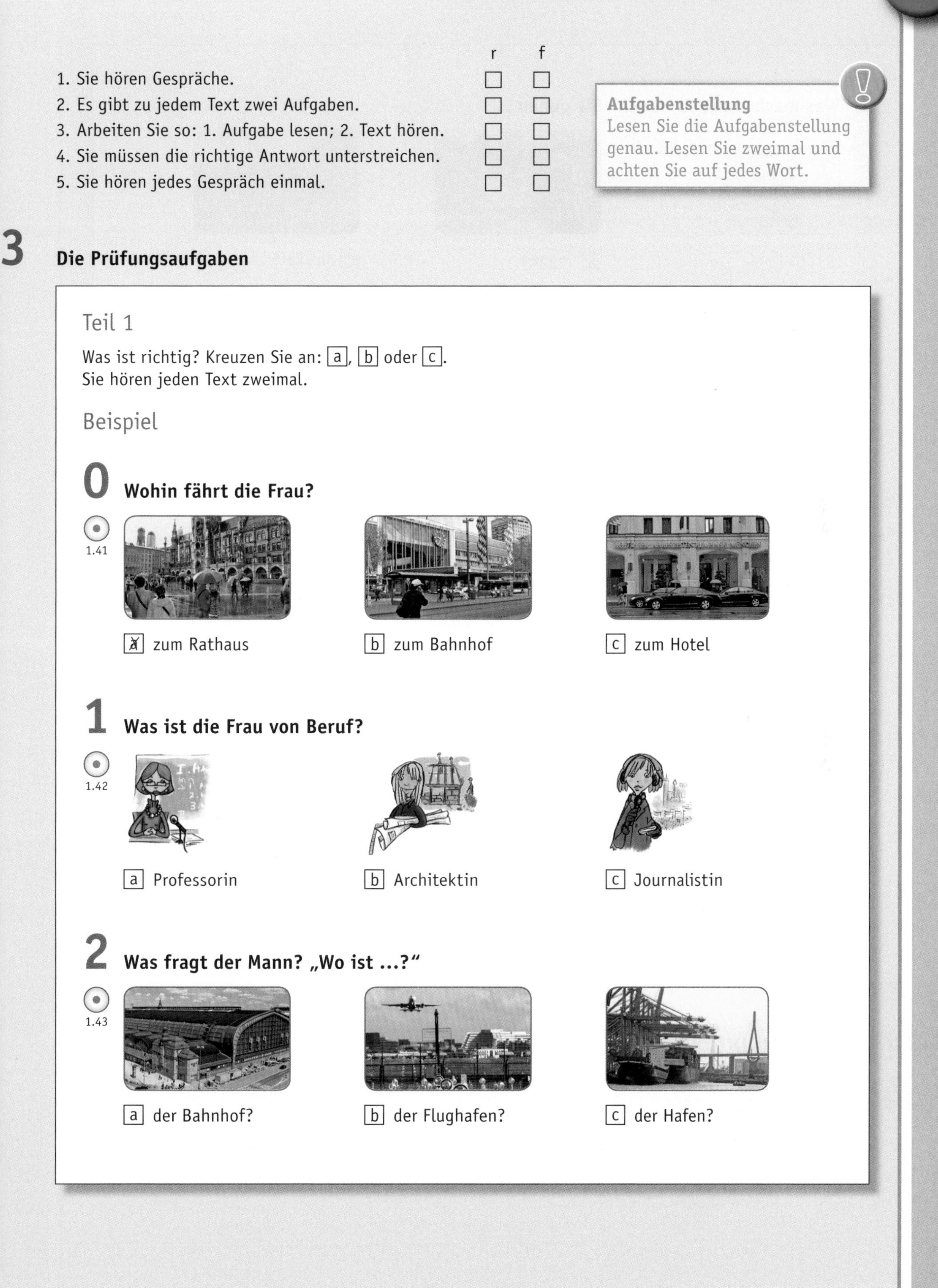

	r	f
1. Sie hören Gespräche.	☐	☐
2. Es gibt zu jedem Text zwei Aufgaben.	☐	☐
3. Arbeiten Sie so: 1. Aufgabe lesen; 2. Text hören.	☐	☐
4. Sie müssen die richtige Antwort unterstreichen.	☐	☐
5. Sie hören jedes Gespräch einmal.	☐	☐

Aufgabenstellung
Lesen Sie die Aufgabenstellung genau. Lesen Sie zweimal und achten Sie auf jedes Wort.

3 Die Prüfungsaufgaben

Teil 1

Was ist richtig? Kreuzen Sie an: [a], [b] oder [c].
Sie hören jeden Text zweimal.

Beispiel

0 Wohin fährt die Frau?

1.41

[x] zum Rathaus [b] zum Bahnhof [c] zum Hotel

1 Was ist die Frau von Beruf?

1.42

[a] Professorin [b] Architektin [c] Journalistin

2 Was fragt der Mann? „Wo ist ...?“

1.43

[a] der Bahnhof? [b] der Flughafen? [c] der Hafen?

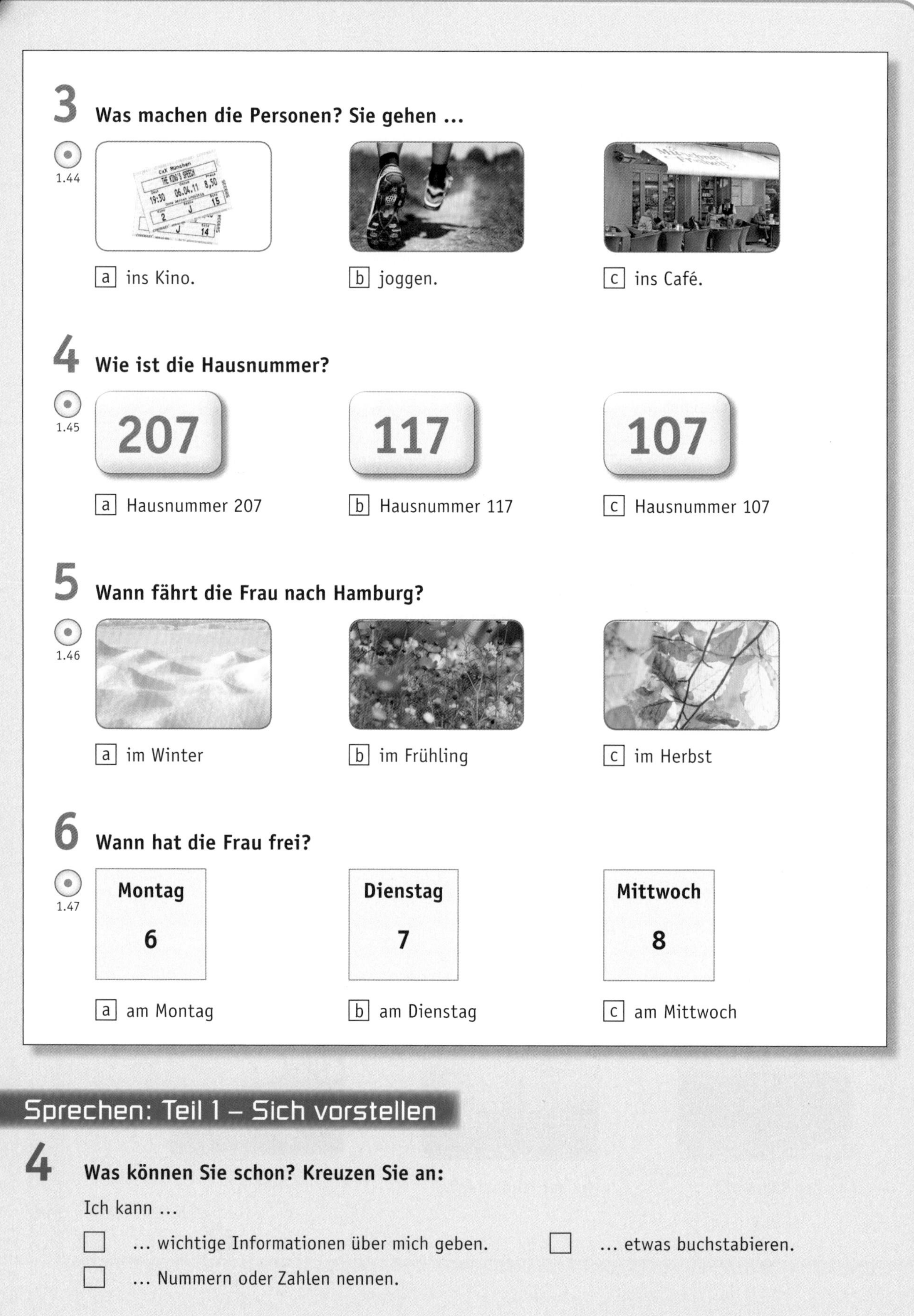

3 Was machen die Personen? Sie gehen ...

1.44

a ins Kino.

b joggen.

c ins Café.

4 Wie ist die Hausnummer?

1.45

207 | 117 | 107

a Hausnummer 207

b Hausnummer 117

c Hausnummer 107

5 Wann fährt die Frau nach Hamburg?

1.46

a im Winter

b im Frühling

c im Herbst

6 Wann hat die Frau frei?

1.47

Montag 6	Dienstag 7	Mittwoch 8

a am Montag

b am Dienstag

c am Mittwoch

Sprechen: Teil 1 – Sich vorstellen

4 Was können Sie schon? Kreuzen Sie an:

Ich kann ...

- ☐ ... wichtige Informationen über mich geben.
- ☐ ... etwas buchstabieren.
- ☐ ... Nummern oder Zahlen nennen.

In der Prüfung (Sprechen: Teil 1) stellen Sie sich vor. Sie buchstabieren etwas und nennen eine Nummer oder Zahl.

sich vorstellen
Dieser Teil ist in der Prüfung immer gleich. Üben Sie das Vorstellen mit anderen Personen, z. B. mit Ihrer Familie oder mit Freunden. Nennen Sie dabei auch Ihre Telefonnummer und buchstabieren Sie Namen oder Straße.

5 Ihre Vorstellung.

a Wo passen die Wörter und Redemittel?

Ich wohne jetzt in … • Ich arbeite als … • ~~Mein Name ist …~~ / Ich heiße … • Mein Heimatland ist … • Ich … gern. • Ich bin … (Jahre alt). • Ich komme aus … • Ich spreche … • Ich bin … von Beruf. • Meine Hobbys sind …

Name: *Mein Name ist …,* ____________________

Alter: *Ich bin … / Ich bin … Jahre alt.* ____________________

Land: ____________________

Wohnort: ____________________

Beruf: ____________________

Sprachen: ____________________

Hobbys: ____________________

b Ergänzen Sie Ihre Informationen und lesen Sie dann Ihre Sätze mehrmals laut.

6

a Hören Sie jetzt ein Beispiel für ein Vorstellungsgespräch.

1.48

b Arbeiten Sie in Kleingruppen. Spielen Sie die Prüfungssituation:

1. Jeder stellt sich vor. Sprechen Sie frei.
2. Wählen Sie eine Frage aus und fragen Sie Ihren Partner / Ihre Partnerin:
   Wie buchstabiert man Ihren Nachnamen?
   Wie buchstabiert man Ihren Vornamen?
   Wie buchstabiert man Ihre Straße?
   Wie ist Ihre Telefonnummer?
   Wie ist Ihre Hausnummer?
   Wie ist Ihre Postleitzahl?
3. Antworten Sie auf die Fragen von Ihrem Partner / Ihrer Partnerin.

Teil 1 sich vorstellen.
- Name?
- Alter?
- Land?
- Wohnort?
- Sprachen?
- Beruf?
- Hobby?

Wie buchstabiert man Ihren Nachnamen?

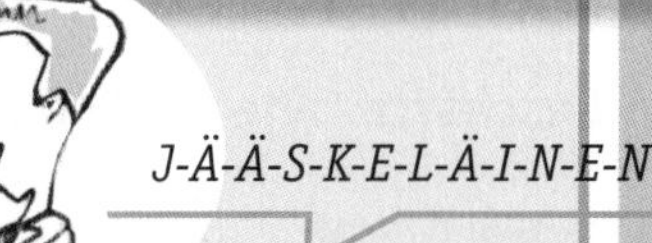

4 Guten Appetit!

1 a Wie schmeckt das? Schreiben Sie die Lebensmittel in die Tabelle.

Wortschatz

Fleisch • Pizza • Birne • Zwiebel • Kartoffel • Käse • Schinken • Reis • Keks • Oliven • Marmelade • Banane • Fisch • Sahne • Brot • Kuchen • Schokolade • Pommes frites • Müsli • Wurst • Hähnchen • Zucker

süß *die Marmelade,* ____________________

salzig/würzig ____________________

b Was kommt in den Kühlschrank, was nicht?

Milch, ... ____________________ | *Reis, ...* ____________________

c Welches Getränk kommt in ein Glas, welches in eine Tasse? Ergänzen Sie die Sätze.

Wortschatz

das Glas **die Tasse**

1. Ich nehme *ein Glas* Cola.
2. Für mich bitte ________ Kaffee und ________ Wasser.
3. Ich möchte gern ________ Bier.
4. Ich nehme ________ Tee und ________ Orangensaft.

Wörter lernen
Verbinden Sie Wörter mit Orten.
der Markt: die Kartoffeln, der Käse, ...

2 Geschäfte. Wie heißen die Wörter richtig? Notieren Sie die Wörter mit Artikel.

1. IEREGZTEM ________
2. TKRAM ________
3. IEREKCÄB ________
4. TKRAMREPUS ________

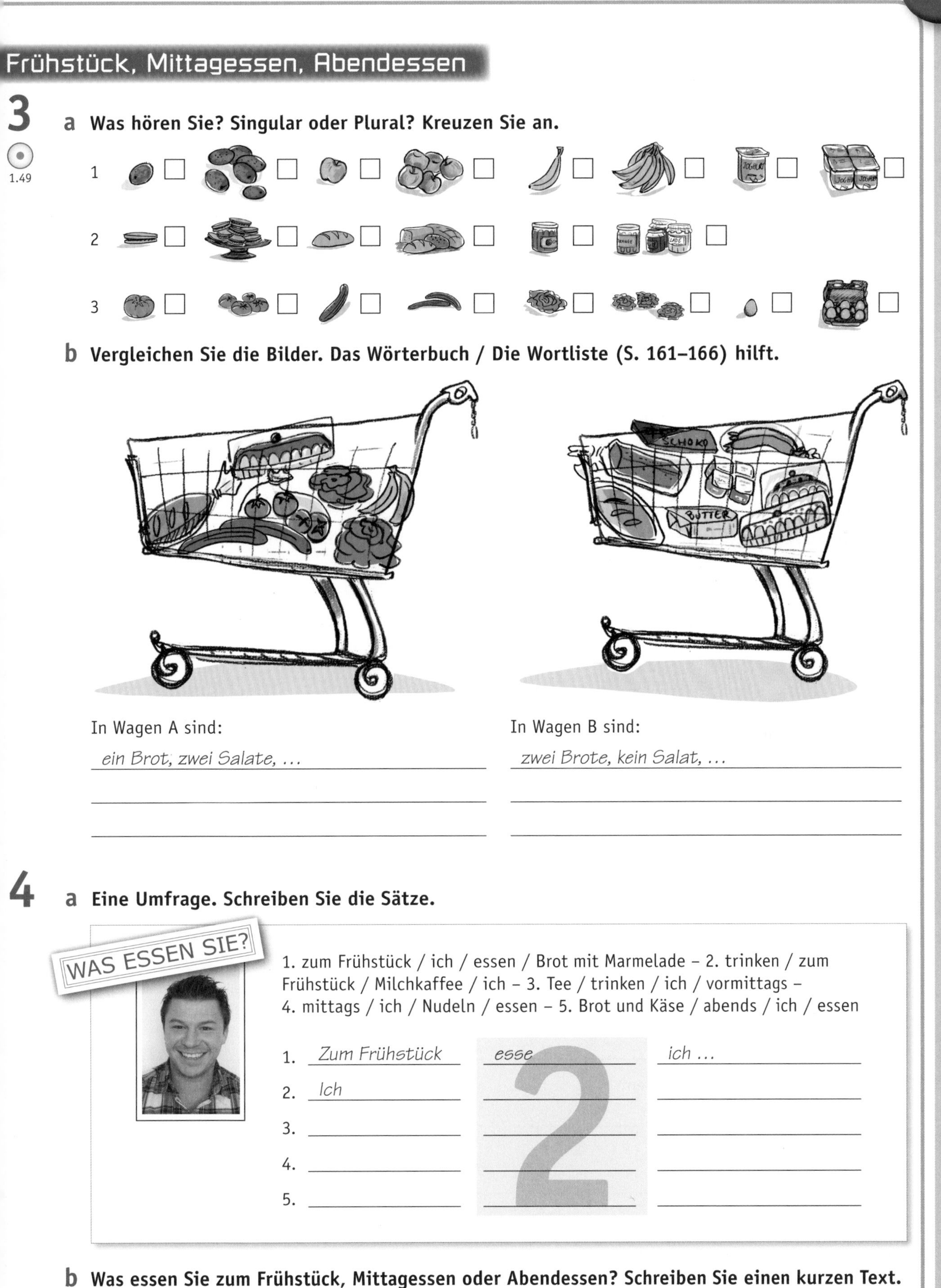

Frühstück, Mittagessen, Abendessen

3

1.49

a Was hören Sie? Singular oder Plural? Kreuzen Sie an.

1 ☐ ☐ ☐ ☐ ☐ ☐ ☐ ☐

2 ☐ ☐ ☐ ☐ ☐ ☐

3 ☐ ☐ ☐ ☐ ☐ ☐ ☐ ☐

b Vergleichen Sie die Bilder. Das Wörterbuch / Die Wortliste (S. 161–166) hilft.

In Wagen A sind:

ein Brot, zwei Salate, …

____

____

In Wagen B sind:

zwei Brote, kein Salat, …

____

____

4

a Eine Umfrage. Schreiben Sie die Sätze.

WAS ESSEN SIE?

1. zum Frühstück / ich / essen / Brot mit Marmelade – 2. trinken / zum Frühstück / Milchkaffee / ich – 3. Tee / trinken / ich / vormittags – 4. mittags / ich / Nudeln / essen – 5. Brot und Käse / abends / ich / essen

	1	2	3
1.	*Zum Frühstück*	*esse*	*ich …*
2.	*Ich*		
3.			
4.			
5.			

b Was essen Sie zum Frühstück, Mittagessen oder Abendessen? Schreiben Sie einen kurzen Text.

5

Finden Sie 10 Wörter? Markieren Sie und notieren Sie die Wörter mit Artikel und Plural.

J	M	K	U	C	H	E	N	M	F
O	K	A	R	T	O	F	F	E	L
G	W	A	S	S	E	R	I	C	P
H	S	A	F	T	B	E	Y	C	B
U	L	H	W	F	I	S	C	H	R
R	T	H	R	G	R	C	A	I	O
T	U	H	G	M	N	G	I	B	T
M	M	A	R	M	E	L	A	D	E
F	W	P	T	E	E	T	Y	I	O

der/das Joghurt, die Joghurts

______

______

______

______

______

______

______

______

______

Die Grillparty

6

a Eine Einladung zu … Hören Sie. Welche Nachricht passt wo? Notieren Sie die Nummer.

1.50–53

Eine Einladung

a zum Frühstück — Hörtext Nr. ______

b zum Mittagessen — Hörtext Nr. ______

c zu Kaffee und Kuchen — Hörtext Nr. ______

d zum Abendessen — Hörtext Nr. ______

b Das Grillfest. Was sagen Sie? Ordnen Sie zu.

Klar, dann mache ich einen Apfelkuchen. Und Würstchen bringe ich auch mit. • Ja, bis Samstag. • Kann ich etwas mitbringen? • Ja, ich komme sehr gern. Vielen Dank für die Einladung. • Danke, gut. Und Ihnen?

◆ Hallo, wie geht es Ihnen?

◆ 1. ______

◆ Auch gut, vielen Dank. Wir machen am Samstag ein Grillfest. Kommen Sie auch?

◆ 2. ______

◆ Das ist schön.

◆ 3. ______

◆ Ja, gern. Vielleicht einen Kuchen?

◆ 4. ______

◆ Super, dann bis Samstag.

◆ 5. ______

c **Wer macht/kauft was? Was fehlt? Schreiben Sie Sätze.**

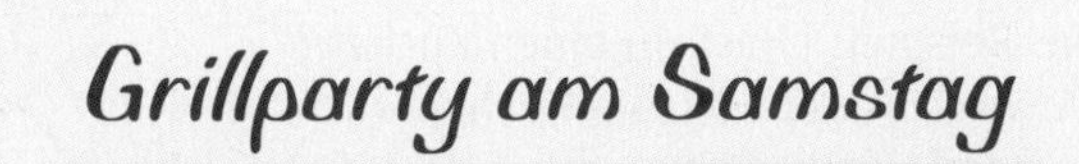

Wir brauchen:
Brot und Brötchen, Salat, Nudelsalat, Kartoffelsalat, Käse, Gemüse (kann man grillen ☺), Oliven, Schinken, Würstchen, Fleisch, Kuchen, Obstsalat, Orangensaft, Cola, Limonade, Bier, Wasser

Wer	Was
Thomas Frisch	Brot, Bier
Markus Huber	Kuchen, Würstchen
Familie Schulz	Kartoffelsalat und Limonade
Hella Kübler	Obstsalat
Frau Mühltal	Nudelsalat und Fleisch

1. *Thomas Frisch kauft das Brot und …*
2. ______________________
3. ______________________
4. ______________________
5. ______________________

Sie brauchen noch die Brötchen, den …

____

d **Lesen Sie. Ergänzen Sie *der, das, die* oder *ein, eine, einen, –* .**

◆ Guten Tag, kann ich helfen?
◆ Ja, ich möchte gern (1) ___–___ Eier und (2) ________ Äpfel.
◆ Ja, sehen Sie mal, (3) ________ Eier sind ganz frisch. Und (4) ________ Äpfel hier sind vom Bodensee. Machen Sie (5) ________ Kuchen? Da sind (6) ________ Äpfel gut. Was brauchen Sie noch?
◆ Haben Sie auch (7) ________ Würstchen? Wir grillen.
◆ Natürlich. Hier sind (8) ________ Würstchen. Wie viele brauchen Sie?
◆ Acht Paar bitte.

1.54 **e** **Hören Sie zur Kontrolle.**

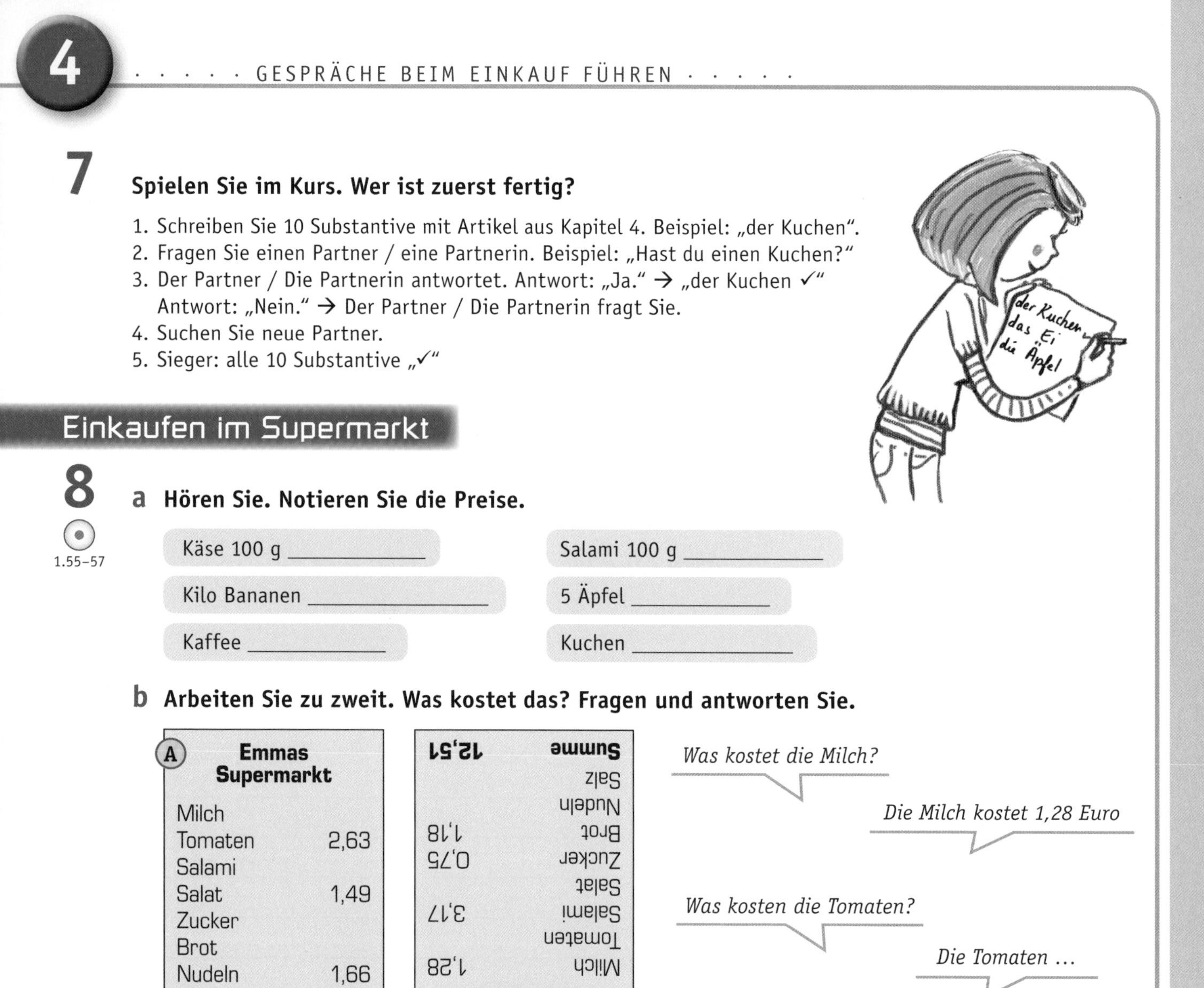

7 Spielen Sie im Kurs. Wer ist zuerst fertig?

1. Schreiben Sie 10 Substantive mit Artikel aus Kapitel 4. Beispiel: „der Kuchen".
2. Fragen Sie einen Partner / eine Partnerin. Beispiel: „Hast du einen Kuchen?"
3. Der Partner / Die Partnerin antwortet. Antwort: „Ja." → „der Kuchen ✓"
   Antwort: „Nein." → Der Partner / Die Partnerin fragt Sie.
4. Suchen Sie neue Partner.
5. Sieger: alle 10 Substantive „✓"

Einkaufen im Supermarkt

8

1.55–57

a Hören Sie. Notieren Sie die Preise.

Käse 100 g ____________ Salami 100 g ____________

Kilo Bananen ____________ 5 Äpfel ____________

Kaffee ____________ Kuchen ____________

b Arbeiten Sie zu zweit. Was kostet das? Fragen und antworten Sie.

(A) **Emmas Supermarkt**

Milch	
Tomaten	2,63
Salami	
Salat	1,49
Zucker	
Brot	
Nudeln	1,66
Salz	0,35
Summe	**12,51**

(B) **Emmas Supermarkt**

Milch	1,28
Tomaten	
Salami	3,17
Salat	
Zucker	0,75
Brot	1,18
Nudeln	
Salz	
Summe	**12,51**

Was kostet die Milch?

Die Milch kostet 1,28 Euro

Was kosten die Tomaten?

Die Tomaten …

Wortschatz **c Welche Verpackungen und welche Maße finden Sie? Notieren Sie in der Tabelle.**

Glas Marmelade Extra
350 g Glas **2,69**

Flasche Bauernmilch
1,5 % Fett
1 l **1,29**

Sahne-Joghurt
200 g Becher **0,69**

Zucker Packung
1 kg **0,79**

	Marmelade	Milch	Joghurt	Zucker
Verpackung	das *Glas*	die ____	der ____	die ____
g / kg / l	*Gramm*			

g = das Gramm
kg = das Kilo(gramm)
ohne Plural: Ich nehme 200 Gramm Schinken.
l = der Liter

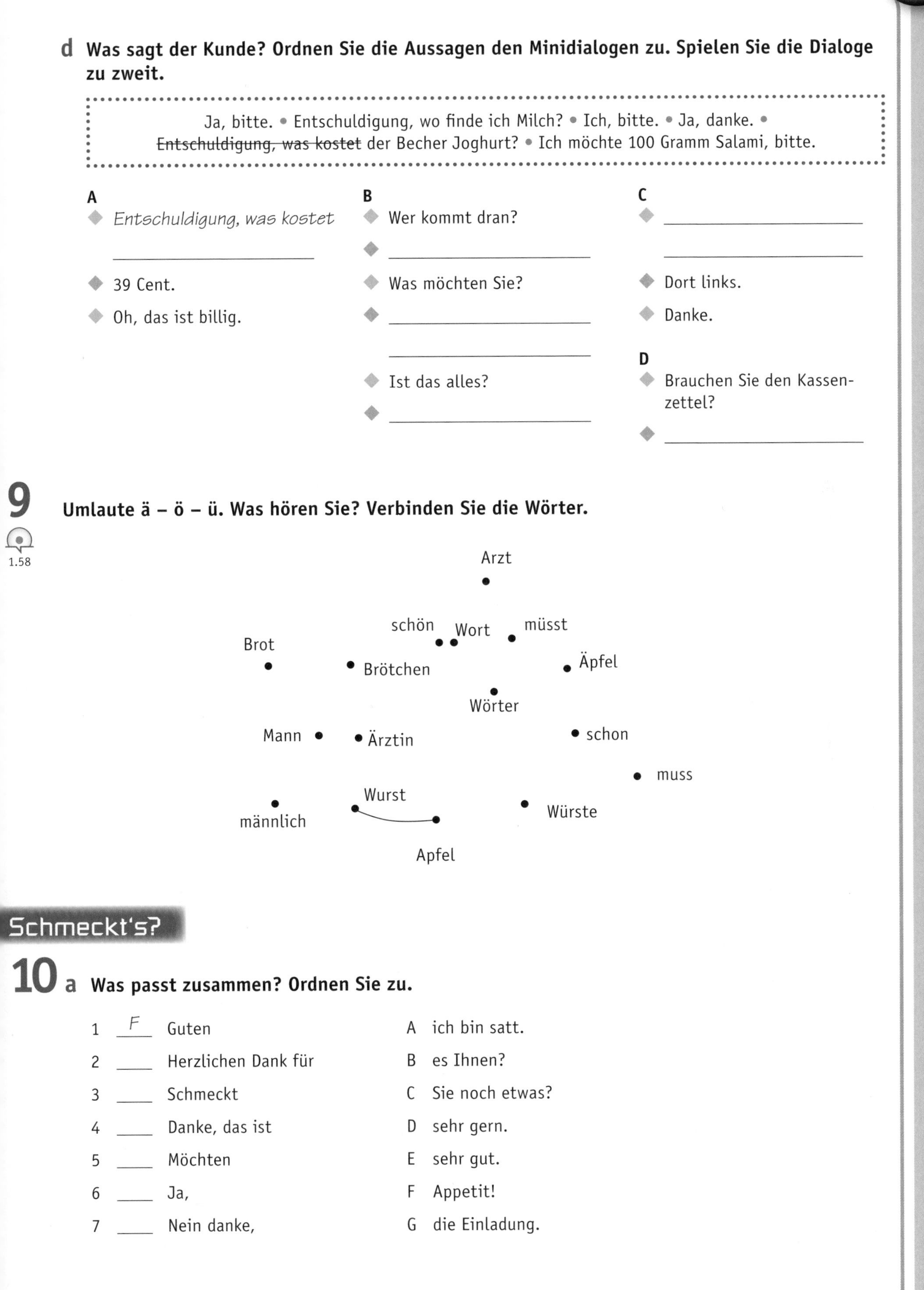

d Was sagt der Kunde? Ordnen Sie die Aussagen den Minidialogen zu. Spielen Sie die Dialoge zu zweit.

Ja, bitte. • Entschuldigung, wo finde ich Milch? • Ich, bitte. • Ja, danke. • ~~Entschuldigung, was kostet~~ der Becher Joghurt? • Ich möchte 100 Gramm Salami, bitte.

A
- ◆ *Entschuldigung, was kostet* ____________
- ◆ 39 Cent.
- ◆ Oh, das ist billig.

B
- ◆ Wer kommt dran?
- ◆ ____________
- ◆ Was möchten Sie?
- ◆ ____________ ____________
- ◆ Ist das alles?
- ◆ ____________

C
- ◆ ____________ ____________
- ◆ Dort links.
- ◆ Danke.

D
- ◆ Brauchen Sie den Kassenzettel?
- ◆ ____________

9 Umlaute ä – ö – ü. Was hören Sie? Verbinden Sie die Wörter.

1.58

Schmeckt's?

10 a Was passt zusammen? Ordnen Sie zu.

1 *F* Guten
2 ____ Herzlichen Dank für
3 ____ Schmeckt
4 ____ Danke, das ist
5 ____ Möchten
6 ____ Ja,
7 ____ Nein danke,

A ich bin satt.
B es Ihnen?
C Sie noch etwas?
D sehr gern.
E sehr gut.
F Appetit!
G die Einladung.

b Was sagen die Leute? Ergänzen Sie.

Ich möchte bitte Brot. – Das schmeckt sehr gut / super. – Möchtest du noch Salat? – (Nein) Danke, ich bin satt.

11 a Wer mag was? Würfeln Sie immer 2-mal. Schreiben Sie Sätze mit den Verben.

1	2	3	4	5	6
ich	du	er/sie	wir	ihr	sie

	mögen	möchten	essen
ich	mag	möchte	esse
du	magst	möchtest	isst
er/es/sie	mag	möchte	isst
wir	mögen	möchten	essen
ihr	mögt	möchtet	esst
sie/Sie	mögen	möchten	essen

1. (mögen) *Magst du den Kuchen?*
2. (essen) ______
3. (möchten) ______
4. (mögen) ______
5. (essen) ______
6. (möchten) ______

b Was mögen Sie? Was mögen Sie nicht? Sammeln Sie.

Das mag ich	Das mag ich nicht

c Schreiben Sie einen Text über sich.

Ich mag sehr gern Milchkaffee und Brötchen. Müsli mag ich nicht so gern. …

Berufe rund ums Essen

12 a Lesen Sie. Welche Frage passt zu welchem Abschnitt? Ordnen Sie zu.

A Was produziert die Familie Stückmann?
B Wann arbeitet Herr Stückmann auf dem Wochenmarkt?
C Was macht Frido Stückmann beruflich?
D Welches Problem gibt es?
E Wer hilft Frido Stückmann bei der Arbeit?
F Was mag Herr Stückmann?

Koch | Landwirt | Bäcker | Kellner | Hotelfachfrau

Der Landwirt vom Wochenmarkt

1. ________
Morgens 6.30 Uhr auf einem Markt in Bremen – Frido Stückmann ist noch müde, aber er baut seinen Stand auf. Er lebt in Norddeutschland und ist Landwirt. Er verkauft Obst und Gemüse auf dem Markt.

2. ________
Dreimal in der Woche arbeitet er auf dem Markt, immer Montag, Mittwoch und Freitag. Er beginnt um 6 Uhr morgens und um 14.30 Uhr fährt er wieder nach Hause. Er verkauft seine Produkte das ganze Jahr.

3. ________
Herr Stückmann mag sein Leben. „Ich möchte nicht im Büro arbeiten", sagt er. „Ich mag das Leben auf dem Markt. Ich kenne die anderen Verkäufer gut. Viele Kunden kommen seit Jahren und ich kenne sie gut. Meine Arbeit macht mir viel Spaß."

4. ________
Seine Frau Thea arbeitet auch auf dem Markt. „Im Sommer ist es schön auf dem Markt, im Winter arbeite ich nicht so gern dort", sagt sie.

5. ________
Die Familie Stückmann hat einen kleinen Bauernhof bei Bremen und produziert Obst und Gemüse: Äpfel, Birnen, Tomaten, Kartoffeln, Gurken, Paprika und Salat. „Unser Obst und Gemüse ist sehr gut. Die Kunden kaufen sehr gern bei uns", sagt Frido.

6. ________
Aber die Situation ist schwierig. Viele Leute kaufen Obst und Gemüse im Supermarkt und nicht auf dem Markt. „Unsere Qualität ist doch so gut. Alles ist ganz frisch und nicht teuer. Warum gehen die Leute dann in den Supermarkt?", fragt er.

b Markieren Sie die Antworten im Text.

c Beantworten Sie jede Frage mit einem Satz.

A *Familie Stückmann produziert Obst und Gemüse.*
B ...
C ________
D ________
E ________
F ________

Wörter lernen

13 a Machen Sie eine Mini-Mindmap.

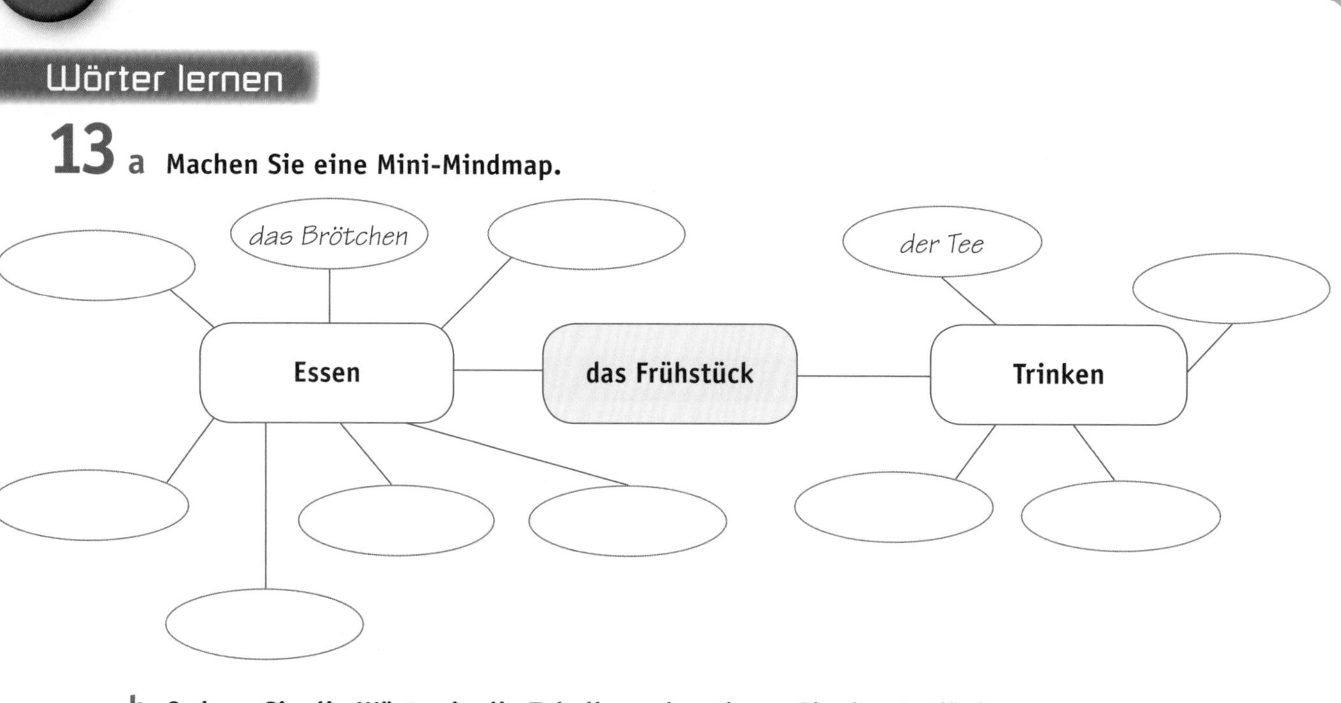

b Ordnen Sie die Wörter in die Tabelle und notieren Sie den Artikel.

~~Brot~~ • Kiwi • Reis • Tomate • Butter • Joghurt • Apfel • Sahne • Brötchen • Gurke • Käse • Kartoffel • Keks • Orange • Salat

Obst	Gemüse	Milchprodukte	Getreide/Backwaren
			das Brot,

c Welches Wort passt nicht? Streichen Sie durch.

1. Orange, ~~Tomate~~, Apfel, Banane
2. Milch, Wasser, Apfelsaft, Müsli
3. Kuchen, Joghurt, Käse, Milch
4. Gurke, Salat, Tomate, Kiwi
5. Brot, Brötchen, Kuchen, Butter
6. Fleisch, Käse, Salami, Schinken
7. Suppe, Tee, Keks, Wasser
8. Salz, Eier, Butter, Käse

d Finden Sie die 6 Unterschiede? Notieren Sie.

Links sind drei Tomaten, rechts sind vier Tomaten. Links sind …

Das kann ich nach Kapitel 4

R1 Was mögen Sie wann? Beschreiben Sie Ihre Essgewohnheiten.

Zum Frühstück esse ich …
Mittags mag ich …
Abends esse ich …
Ich esse nicht gern …

	☺☺	☺	😐	☹	KB	AB
Ich kann über Vorlieben und Gewohnheiten beim Essen sprechen.					4c, 11	11b

R2 Beim Essen. Ordnen Sie das Gespräch.

1 ___ Guten Appetit!
2 ___ Schmeckt es dir?
3 ___ Möchtest du noch etwas?

A Ja, das schmeckt sehr gut.
B Nein danke, ich bin satt.
C Danke, gleichfalls!

	☺☺	☺	😐	☹	KB	AB
Ich kann Gespräche beim Essen führen, mich bedanken und Komplimente machen.					10	10

R3 Beim Einkaufen. Sprechen Sie mit einem Partner / einer Partnerin.

A

Sie sind Verkäufer beim Bäcker

Bitte? Was möchten Sie?
Sonst noch etwas?
Das kostet … Euro. Ist das alles?

B

Sie gehen zum Bäcker. Sie brauchen:
1 Brot, 4 Brötchen, 1 Schokoladenkuchen

Ich möchte …, bitte. Haben Sie …?
Ja, ich brauche noch … Wie viel kostet …?
Ja, danke. / Nein, ich nehme noch …

	☺☺	☺	😐	☹	KB	AB
Ich kann einfache Gespräche beim Einkauf führen.					8	8d

Außerdem kann ich	☺☺	☺	😐	☹	KB	AB
… eine einfache Einladung auf dem Anrufbeantworter verstehen.						6a
… einfache Preisangaben verstehen.						8a, b
… einen Einkauf planen und über Einkäufe sprechen.					6b, 7	
… Preise erfragen.					8	8b
… auf eine Einladung reagieren.					6a	6b
… eine Einladung per SMS verstehen.					6a	
… kurze Texte über Essgewohnheiten verstehen.					4a + b	
… mit W-Fragen wichtige Informationen in einem Text verstehen.					12	12
… einen Einkaufszettel schreiben.					6b	
… einen kurzen Text über Essgewohnheiten und Vorlieben schreiben.					4c	4b, 11c

Lernwortschatz Kapitel 4

Lebensmittel

das Obst

der Apfel, Äpfel ______

die Banane, -n ______

die Birne, -n ______

die Kiwi, -s ______

die Orange, -n ______

das Gemüse

die Gurke, -n ______

die Kartoffel, -n ______

der Salat, -e ______

die Tomate, -n ______

die Zwiebel, -n ______

Brot und Gebäck

das Brot, -e ______

das Brötchen, – ______

der Keks, -e ______

der Kuchen, – ______

Fleisch, Fisch, ...

das Ei, -er ______

der Fisch, -e ______

das Fleisch ______

das Hähnchen, – ______

die Salami, -s ______

der Schinken, – ______

die Wurst, Würste ______

Milchprodukte

die Butter ______

der/das Joghurt, -s ______

der Käse, – ______

die Sahne ______

andere Lebensmittel

der Zucker ______

das Salz ______

das Öl, -e ______

die Nudel, -n ______

der Reis ______

das Geschäft

die Bäckerei, -en ______

der Markt, Märkte ______

die Metzgerei, -en ______

der Supermarkt, -märkte ______

Verpackungen

der Becher, – ______

die Flasche, -n ______

das Glas, Gläser ______

die Packung, -en ______

die Tüte, -n ______

das Kilogramm (kg) ______

das Gramm (g) ______

der Liter (l) ______

beim Einkaufen

der Einkaufswagen, – ______

der Einkaufszettel, – ______

der Kassenzettel, – ______

brauchen ______

kosten ______

wechseln ______

billig ______

frisch ______

teuer ______

Entschuldigung, wo finde ich ...? ______

Wo gibt es ...? ______

das Getränk

das Bier, -(e) ______

die Cola, -s ______

der Kaffee, -s ______

die Milch ______

der Saft, Säfte ______

der Tee, -s ______

das Wasser, – ______

der Wein, -e ______

beim Essen

das Essen, – ______

das Frühstück ______

das Mittagessen ______

das Abendessen ______

die Suppe, -n ______

die Pizza, -s/Pizzen ______

die Pommes frites (Plural) ______

das Müsli, -s ______

essen ______

kochen ______

machen ______

mögen ______

nehmen ______

schmecken ______

fertig ______

lecker ______

viel ______

wenig ______

Guten Appetit! ______

Andere wichtige Wörter und Wendungen

die Einladung, -en ______

die Schokolade, -n ______

die Marmelade, -n ______

Wichtig für mich:

______

______

______

Machen Sie eine Einkaufsliste für ein Grillfest mit Freunden.

Salat
...

5 Tag für Tag

1

a Der Tag von Lea. Finden Sie zu jedem Bild ein passendes Verb.

Am Morgen

____

Am Morgen

____

Am Vormittag

____

Am Mittag

____

Am Nachmittag

____

Am Abend

____

b Schreiben Sie einen Bericht über Leas Tag.

Am Morgen duscht Lea und …

2

a Wann machen Sie das? Kreuzen Sie an.

	morgens	vormittags	mittags	nachmittags	abends	nachts	mache ich nicht
schlafen							
arbeiten							
joggen							
schwimmen							
nach Hause gehen							
ins Café gehen							
Freunde treffen							
kochen							
lernen							
chatten							

b Vergleichen Sie mit einem Partner / einer Partnerin. Erzählen Sie.

… liest morgens Zeitung, ich lese abends Zeitung.

3 Schreiben Sie einen kleinen Text über Ihren „normalen Tag“.

Morgens trinke ich Tee und …

Wie spät ist es?

4 Die Uhrzeiten. Was passt zusammen?

1 ___ morgens
2 ___ vormittags
3 ___ mittags
4 ___ nachmittags
5 ___ abends
6 ___ nachts

A 12:00–14:00
B 22:00–6:00
C 18:00–22:00
D 6:00–9:00
E 9:00–12:00
F 14:00–18:00

5

a Welche Uhrzeit hören Sie? Kreuzen Sie an.

1.59

1. 14:00 ☐ 04:10 ☐
2. 06:50 ☐ 10:07 ☐
3. 04:15 ☐ 03:45 ☐
4. 11:30 ☐ 12:30 ☐
5. 09:14 ☐ 14:09 ☐

b Von morgens bis abends. Schreiben Sie die Uhrzeiten.

inoffiziell	*zehn nach sechs*			
offiziell	*sechs Uhr zehn*			

inoffiziell				
offiziell				

6 Was machen Sie um …?

1. 6:30 Uhr *Um halb sieben schlafe ich.*
2. 8:15 Uhr ______
3. 12:05 Uhr ______
4. 15:20 Uhr ______
5. 18:50 Uhr ______
6. 20:00 Uhr ______
7. 22:30 Uhr ______

Uhrzeiten und Tageszeiten
Uhrzeit + *um*
Ich esse **um** acht Uhr.
Der Kurs beginnt **um** 9:15 Uhr.

Tageszeit + *am*
Der Kurs ist **am** Vormittag.
Am Abend gehe ich ins Kino.

Familie und Termine

7

a Lesen Sie den Wochenkalender von Lea. Beantworten Sie die Fragen.

	Vormittag	Nachmittag	Abend
Montag	8:00–13:00 Uni	16:30–17:15 Saxophon	18:00–22:00 Taxi fahren
Dienstag	10:30–12:00 Uni	14:00–18:30 Uni	
Mittwoch	8:00–10:00 schwimmen	14:00–18:30 Uni	20:00 Kino
Donnerstag	8:00–12:00 Uni	14:00–18:30 Uni	
Freitag	8:00–13:00 Uni	14:00–18:00 Taxi fahren	21:00 tanzen
Samstag		15:00 Familienfeier von Tom ☺	
Sonntag	schlafen ☺ ☺		

1. Wann spielt Lea Saxophon? *Am Montag von halb fünf bis Viertel nach fünf.*
2. Wann ist Lea in der Uni? ______
3. Wann fährt Lea Taxi? ______
4. Wann schwimmt sie? ______
5. Wann geht sie ins Kino? ______
6. Wann tanzt sie? ______
7. Wann ist die Familienfeier? ______

1.60 Wortschatz

b Auf der Familienfeier. Hören Sie und ergänzen Sie die Wörter.

Verwandten • ~~Baby~~ • Geschwister • Großeltern • Junge • Mädchen • Oma • Opa • Eltern • Sohn • Tochter • Mutter • Vater • Ehemann • verheiratet • ledig

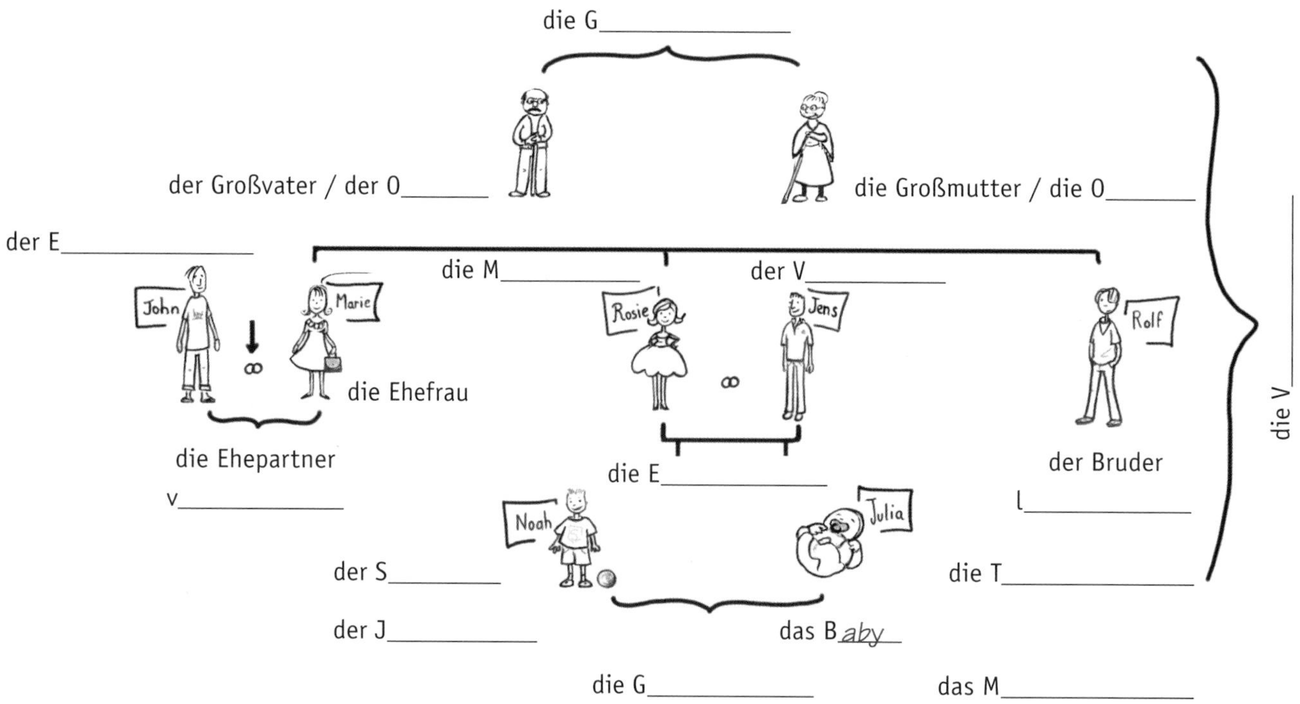

c Markieren Sie den Possessivartikel *mein-* und ergänzen Sie die Tabelle.

Hier ist meine Familie.
Das sind mein Opa und meine Oma. Der Mann und die Frau auf dem Tandem sind meine Eltern. Und da vorne auf dem Boden, das ist mein Fahrrad.

Possessivartikel – Endungen		
der Opa	*mein*	Opa
das Fahrrad	______	Fahrrad
die Oma	______	Oma
die Eltern	______	Eltern

d „Das ist ..." Schreiben Sie Sätze. Machen Sie weitere fünf Sätze mit anderen Wörtern.

1. der Computer: *Das ist mein Computer.*
2. die Autos (Plural): ______
3. die Familie: ______
4. der Fernseher: ______
5. das Haus: ______
6. ______
7. ______
8. ______
9. ______
10. ______

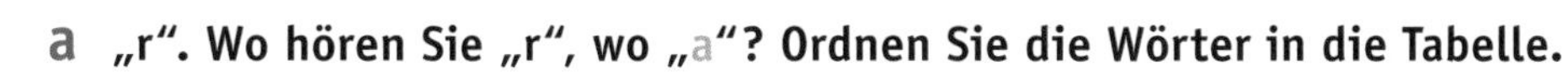

8

1.61

a „r". Wo hören Sie „r", wo „a"? Ordnen Sie die Wörter in die Tabelle.

Vater – krank – hören – Geschwister – Frau – verheiratet – Konzert – Mutter – aber – nur – Dezember – Fahrrad – sehr

Sie schreiben „r" und hören „r"	Sie schreiben „r" und hören „a"
krank	

1.61

b Hören Sie noch einmal und sprechen Sie nach.

www.dobart.de

9 **a Lesen Sie den Text und markieren Sie die Possessivartikel. Ergänzen Sie dann die Tabelle.**

Hallo!
Hier ist noch das Foto vom Familienfest. Rechts stehen Opa und Oma und ihre Tochter, Rosi. Ihr Mann Jens und ihr Baby Julia sind links. Ihr Bruder Rolf ist nicht auf dem Foto. Meine Schwester ist ganz links und unsere Eltern auch. Unser Bruder macht das Foto. Noah ist ganz rechts. Es ist sein Geburtstag.

Viele Grüße Nils

ich	___	wir	___
du	dein/deine	ihr	euer/eure
er	sein/seine	sie	___
es	sein/seine	Sie	Ihr/Ihre
sie	___		

Possessivartikel
Im Singular haben die Possessivartikel die gleichen Endungen wie *ein/eine*.
Im Plural ist die Endung wie bei *kein/keine*.

b Vergleichen Sie die Sprachen. Die Possessivartikel sind markiert. Gibt es Unterschiede? Welche? Ergänzen Sie Ihre Sprache

Deutsch: Rosi hat zwei Kinder. Ihr Sohn heißt Noah und ihre Tochter Julia.
Jens hat zwei Kinder. Sein Sohn heißt Noah und seine Tochter Julia.

Englisch: Rosi has got two children. Her son is called Noah and her daughter Julia.
Jens has got two children. His son is called Noah and his daughter Julia.

Französisch: Rosi a deux enfants. Son fils s'appelle Noah et sa fille Julia.
Jens a deux enfants. Son fils s'appelle Noah et sa fille Julia.

Ihre Sprache: ___

___

c Kreuzen Sie die richtige Form an.

1. Das ist Mara. Ihr ☐ Ihre ☒ Sein ☐ Seine ☐ Kinder gehen zur Schule.
2. Ihr ☐ Ihre ☐ Sein ☐ Seine ☐ Tochter Lena spielt Saxophon.
3. Ihr ☐ Ihre ☐ Sein ☐ Seine ☐ Sohn Florian hat einen Computer.
4. Ihr ☐ Ihre ☐ Sein ☐ Seine ☐ Computer ist neu.
5. Florian sagt: „Mein ☐ Meine ☐ Sein ☐ Seine ☐ Computer ist toll."
6. Lena sagt: „Du und dein ☐ deine ☐ sein ☐ seine ☐ Computerspiele. Du machst nichts anderes."
7. Mara sagt: „Euer ☐ Eure ☐ Unser ☐ Unsere ☐ Familie hat eine Homepage.
8. Euer ☐ Eure ☐ Unser ☐ Unsere ☐ Hund Otto ist auch dabei!"

d Ergänzen Sie den passenden Possessivartikel.

10 a Arbeiten Sie zu dritt. Jeder legt zwei Sachen (z.B. Heft, Stift, Uhr) in eine Tüte.

A nimmt einen Gegenstand aus der Tüte und fragt B: „Ist das dein Stift?“, B antwortet „Ja.“ Oder „Nein, das ist nicht mein Stift.“ Bei „Nein.“ → A fragt B „Ist das sein/ihr Stift?“. B antwortet: „Ja, das ist sein/ihr Stift.“ Dann nimmt B einen Gegenstand aus der Tüte …

b Schreiben Sie einen kurzen Text über Ihre Familie oder Ihre Freunde.

Die Verabredung

11 a Lesen Sie die Mail von Hannes. Markieren Sie die Modalverben und ergänzen Sie die Tabelle.

Liebe Mara,
viele Grüße aus Hamburg! Ich muss gleich ins Büro – also kann ich nur kurz schreiben. Heute müssen wir viel arbeiten. Aber am Abend wollen wir noch eine Stadttour machen – ohne Chef! Er muss nach Hause …
Wie geht es euch? Alles wie immer = die Kinder wollen nicht in die Schule, müssen Hausaufgaben machen und können nicht genug Computer spielen ;-)? Musst du viel arbeiten? Kannst du mich um zehn anrufen? Dann können wir sprechen.
Dein Hannes

	müssen	wollen	können
ich	______	will	______
du	______	willst	______
er/es/sie	______	will	kann
wir	______	______	______
ihr	müsst	wollt	könnt
sie/Sie	______	______	______

b Modalverben und ihre Bedeutung. Ergänzen Sie die Modalverben: ***müssen, können*** **oder** ***wollen.***

1. ◆ Ich __________ heute ins Kino gehen. Kommst du mit?
   ◇ Ja, super. Wann?
   ◆ Um acht.

2. ◆ Mama, ich habe Hunger.
   ◇ Ich __________ einkaufen. Dann koche ich etwas.

3. Das machst du super. Du __________ schon gut schwimmen.

4. ◆ Wir __________ am Dienstag in die Stadt fahren – da habe ich Zeit.
   ◇ Ja, das geht.

c Schreiben Sie die Sätze.

1. will / machen / Johanna / heute Sport
2. muss / fahren / Sie / morgen nach Berlin
3. muss / bleiben / Ihre Familie / in München
4. kann / treffen / Johanna / abends / Freunde
5. wollen / gehen / Ihre Kinder / ins Kino

	2		
Johanna	*will*	*heute Sport*	*machen.*
______	______	______	______
______	______	______	______
______	______	______	______
______	______	______	______
	Modalverb		Infinitiv

d Was müssen/können/wollen Sie machen? Beantworten Sie die Fragen.

1. Was müssen Sie am Wochenende machen?
   Ich muss am Wochenende ...
2. Was können Sie im Urlaub machen?
   ____
3. Was wollen Sie heute Abend machen?
   ____

e Schreiben Sie drei weitere Fragen und fragen Sie einen Partner / eine Partnerin.

Fragen	Antworten
1. ______________	______________
2. ______________	______________
3. ______________	______________

12 a Ergänzen Sie die Verben.

muss • können • ~~wollen~~ • können • willst • kann

- *Wollen* (1) wir heute zusammen kochen?
- Nein, ich ______ (2) leider nicht. Ich ______ (3) noch arbeiten.
- Hast du morgen Zeit? Dann ______ (4) wir ins Kino gehen.
- Nein, morgen Abend mache ich Sport. ______ (5) du mitkommen?
- Gute Idee. Dann machen wir morgen zusammen Sport. Und danach ______ (6) wir ins Kino gehen.

b Was passt wo? Ordnen Sie zu und hören Sie zur Kontrolle.

1.62

1 *E* Hallo Marie!
2 ___ Wie geht's?
3 ___ Hast du am Samstag Zeit?
4 ___ Und am Sonntag?
5 ___ Ja, das ist eine tolle Idee. Wann können wir fahren?
6 ___ Oh, 7 Uhr? Da will ich noch schlafen.
7 ___ O.k., um halb neun komme ich.

A Da will ich eine Radtour machen. Willst du mitkommen?
B Na gut. Um halb neun.
C Super, bis Sonntag.
D Am Samstag muss ich arbeiten.
E Hallo Leon!
F Um sieben Uhr?
G Danke, gut.

c Schreiben Sie zu zweit einen Dialog. Die Redemittel helfen.

A Mittwoch schwimmen? → **B** muss Mittwoch arbeiten. Donnerstag?
← Okay, 9 Uhr? → 9 Uhr? Will lange schlafen. Donnerstagabend?
← Ja, auch Zeit haben → Super! Bis Donnerstag.

Pünktlichkeit?

13 Wie heißen die Sätze richtig? Notieren Sie.

1. bitte / ich / Entschuldigung / um — *Ich bitte um Entschuldigung.*
2. leid / tut / mir / es — ______
3. gut / schon — ______
4. Sie / entschuldigen / bitte — ______
5. nichts / macht — ______

Kann ich einen Termin haben?

14 a Frau Wolf möchte einen Termin beim Arzt. Wer sagt was? Notieren Sie für Frau Wolf „W" und für die Arztpraxis „A".

Mo	8–18 Verlag
Di	9–16 Kurs
Mi	
Do	18–21 Kurs
Fr	8–12 Kurs
Sa	Paris!
So	

1 [W] ____ Ja, das geht! Also am Mittwoch um 10 Uhr.
2 [A] ____ Nein, heute geht leider nicht mehr. Haben Sie morgen Zeit?
3 [ ] 1. Praxis Dr. Steinig, Svetlana Keller, guten Tag!
4 [ ] ____ Am Mittwoch habe ich vormittags frei.
5 [ ] ____ Morgen muss ich arbeiten. Ich kann ab 17 Uhr.
6 [ ] ____ Bis Mittwoch, Frau Wolf. Tschüs.
7 [ ] ____ Wie kann ich Ihnen helfen?
8 [ ] ____ Wolf, Rita Wolf. Auf Wiederhören.
9 [ ] ____ Ja, gern. Wann haben Sie denn Zeit?
10 [ ] ____ Haben Sie heute noch etwas frei?
11 [ ] ____ Ich hätte gern einen Termin.
12 [ ] ____ Genau. Und wie war noch einmal Ihr Name?
13 [ ] ____ Dann kommen Sie doch am Mittwoch um 10 Uhr. Geht das?
14 [ ] ____ Das ist zu spät. Und am Mittwoch?
15 [ ] ____ Hallo Frau Keller, hier ist Wolf, Rita Wolf.

1.63

b Bringen Sie den Dialog in die richtige Reihenfolge (1–15). Hören Sie zur Kontrolle.

c Spielen Sie den Dialog zu zweit.

15 Sie möchten einen Termin beim Arzt und telefonieren. Hören Sie Frau Keller und antworten Sie. Der Terminkalender hilft.

1.64

Mi	8–12 Büro, 15–18 Kindergeburtstag
Do	12–18 Büro
Fr	8–13 Büro, 14–19 Computerkurs

Praxis Dr. Steinig, Svetlana Keller, guten Morgen!
Wie kann ich Ihnen helfen?
Ja, gern. Haben Sie am Freitag Zeit?
Und heute, am Mittwoch?
Und am Donnerstag? Können Sie vielleicht am Vormittag?
Gut, dann kommen Sie um 9.30 Uhr.
Auf Wiederhören!

Das kann ich nach Kapitel 5

R1 Welche Uhrzeiten hören Sie? Kreuzen Sie an.

1.65

1. 18:30 ☐ 19:30 ☐ 2. 19:25 ☐ 19:35 ☐ 3. 5:40 ☐ 6:20 ☐ 4. 13:45 ☐ 14:15 ☐

	☺☺	☺	😐	☹	KB	AB
Ich kann Uhrzeiten verstehen.	☐	☐	☐	☐	4, 5	5a

R2 Die Verspätung. Ergänzen Sie die Redemittel für eine Entschuldigung.

1 Ich bin zu ____________. Es tut mir ________________.

2 Bitte ________________ Sie.

3 Ich ______________ um Entschuldigung.

	☺☺	☺	😐	☹	KB	AB
Ich kann mich für eine Verspätung entschuldigen.	☐	☐	☐	☐	13	13

R3 Einen Termin vereinbaren. Sprechen Sie mit einem Partner / einer Partnerin.

A

Mo:	8:00 – 14:00 Arbeit
Di:	9:00 – 18:00 Seminar
Mi:	9:00 – 15:00 Arbeit
Do:	9:00 – 18:00 Seminar
Fr:	8:00 - ? Ausflug

B

Sprechzeiten

Montag – Freitag: 9:00 – 12:00 Uhr

Dienstag und Donnerstag: 14:00 – 16:00 Uhr

Mittwoch: 14:00 – 18:00 Uhr

	☺☺	☺	😐	☹	KB	AB
Ich kann einen Termin vereinbaren.	☐	☐	☐	☐	14, 15	14, 15

Außerdem kann ich	☺☺	☺	😐	☹	KB	AB
... die Uhrzeiten verstehen und Zeitangaben machen.	☐	☐	☐	☐	4, 5b, 6	5a + b
... ein Gespräch über Familienangehörige verstehen.	☐	☐	☐	☐		7b
... Fragen zum Thema Tagesablauf stellen und beantworten.	☐	☐	☐	☐	3, 6	2, 6
... über meine Familie sprechen.	☐	☐	☐	☐	10	
... eine Verabredung (Zeit und Aktivität) mit einem Bekannten treffen.	☐	☐	☐	☐	12	12
... einen Kalender und eine E-Mail mit Terminvorschlägen für ein Treffen verstehen.	☐	☐	☐	☐	7a 11a + b	7a
... einen kurzen Text für ein Online-Gästebuch schreiben.	☐	☐	☐	☐	9c	
... einen Text über meine Familie / meine Freunde schreiben.	☐	☐	☐	☐		10b

Lernwortschatz Kapitel 5

Alltag

der Computer, – ____

die Schule, -n ____

der Sport ____

das Training, -s ____

duschen ____

joggen ____

telefonieren ____

treffen ____

Freunde treffen ____

schlafen ____

lange schlafen ____

spazieren gehen ____

am Computer arbeiten ____

in die Kantine gehen ____

nach Hause gehen ____

Nachrichten lesen ____

Zeitung lesen ____

Uhrzeit

Wie spät ist es? ____

Wie viel Uhr ist es? ____

inoffiziell

Es ist vier Uhr. ____

Es ist kurz/Viertel/zwanzig nach vier. ____

Es ist halb fünf. ____

Es ist zwanzig/Viertel/kurz vor fünf. ____

offiziell

Es ist sechzehn Uhr. ____

Es ist sechzehn Uhr fünf/fünfzehn/zwanzig. ____

Es ist sechzehn Uhr dreißig. ____

Es ist sechzehn Uhr vierzig/fünfundvierzig/fünfzig. ____

Familie

das Baby, -s ____

die Ehefrau, -en ____

der Ehemann, -männer ____

der Ehepartner, – ____

die Eltern (Plural) ____

die Familie, -n ____

die Geschwister (Plural) ____

die Großmutter, -mütter ____

der Großvater, -väter ____

die Großeltern (Plural) ____

das Kind, -er ____

die Mutter, Mütter ____

die Oma, -s ____

der Opa, -s ____

der Sohn, Söhne ____

die Tochter, Töchter ____

der Vater, Väter ____

der/die Verwandte, -n ____

verheiratet ____

ledig ____

mein, dein, sein, ihr, ____

unser, euer, ihr ____

Das ist mein Bruder. ____

Termine und Verabredungen

die Besprechung, -en ____

können ____

müssen ____

wollen ____

morgens ____

vormittags ____

mittags ____

nachmittags ____

abends ____

nachts ____

Wann? ______
am Montag ______
um drei (Uhr) ______
Wie lange? ______
von Donnerstag bis Sonntag ______
Haben Sie heute / morgen / am ... einen Termin?
______
Geht es am ... um ... Uhr? ______
Können Sie am ... um ...? ______
Ja, da kann ich. ______
Nein, da kann ich leider nicht. ______
Auf Wiederhören. ______

Andere wichtige Wörter und Wendungen

das Bild, -er ______
die Homepage, -s ______
der Hund, -e ______
der Junge, -n ______
das Mädchen, – ______
das Motorrad, -räder ______
die Party, -s ______
der Urlaub, -e ______
krank ______
cool ______
okay ______
sehr nett ______
Bitte entschuldigen Sie. ______
Tut mir leid. ______
Viele Grüße ______

Wichtig für mich:

______
______
______

Lösen Sie die Rätsel:

A Zwei Väter und zwei Söhne haben drei Würstchen. Jeder isst eins. Wie geht das?
______

B Was ist der Vater von meiner Mutter für mich?
______

C Was ist die Schwester von meinem Vater für mich?
______

Wie spät ist es?

______
______
______

6 Zeit mit Freunden

1

a Welche Beschreibung passt? Ordnen Sie zu. Ergänzen Sie die Lücken.

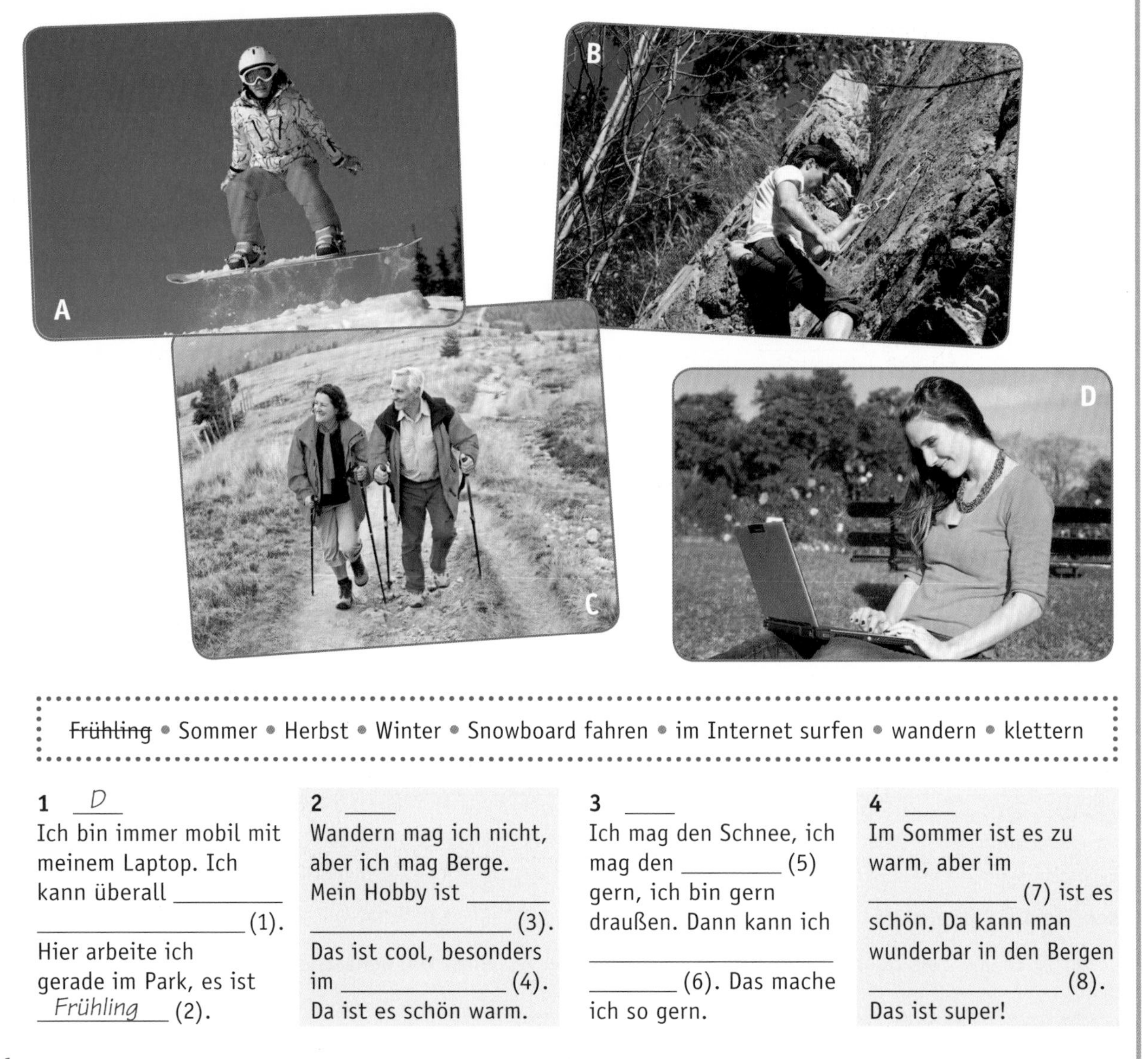

~~Frühling~~ • Sommer • Herbst • Winter • Snowboard fahren • im Internet surfen • wandern • klettern

1 *D*	2 ____	3 ____	4 ____
Ich bin immer mobil mit meinem Laptop. Ich kann überall ____________ ____________ (1). Hier arbeite ich gerade im Park, es ist *Frühling* (2).	Wandern mag ich nicht, aber ich mag Berge. Mein Hobby ist ____________ ____________ (3). Das ist cool, besonders im ____________ (4). Da ist es schön warm.	Ich mag den Schnee, ich mag den ________ (5) gern, ich bin gern draußen. Dann kann ich ____________ ________ (6). Das mache ich so gern.	Im Sommer ist es zu warm, aber im ____________ (7) ist es schön. Da kann man wunderbar in den Bergen ____________ (8). Das ist super!

b Was machen Sie gern – drinnen oder draußen, allein oder zusammen mit anderen? Sammeln Sie.

	drinnen	draußen
allein		
zusammen mit anderen		

2

a Hören Sie. Was ist richtig? Kreuzen Sie an. Es gibt mehrere Möglichkeiten.

.66–68

1. Frau Kupic möchte am Wochenende

   [x] nichts tun. [b] tanzen. [c] lesen. [d] ins Kino gehen.

2. Herr Hofer will am Wochenende

   [a] klettern. [b] fotografieren. [c] feiern. [d] schlafen.

3. Frau Gerber möchte am Wochenende

   [a] einen Film sehen. [b] Fahrrad fahren. [c] kochen. [d] grillen.

b Rätsel: Welche Freizeitaktivitäten mögen die Personen?

Anna, Helena, Ali und Max haben verschiedene Hobbys: Fahrrad fahren, lesen, im Internet surfen und schwimmen.
Sie haben auch verschiedene Lieblingsdinge: ein Snowboard, einen Computer, eine Kamera und einen Fußball. Anna fährt gern Fahrrad, sie hat keinen Fußball, Fußball mag sie nicht. Helena mag ihr Snowboard. Max findet im Internet surfen super. Der Schwimmer mag die Kamera.

	Hobby	Lieblingsding
Anna	*Fahrrad fahren*	
Helena		*Snowboard*
Max	*Internet surfen*	
Ali		

3

Was ist das? Ergänzen Sie.

1. Hier bin ich oft. Ich sehe gern Filme. Das __________ heißt „Forum".
2. Ich mag Fußball. Mein Team spielt in Hamburg im __________________ am Millerntor.
3. Das ist das __________________ „Seiler". Hier esse ich gern, es schmeckt sehr gut.
4. Hier surfe ich im Internet und schreibe E-Mails. Und ich trinke gern einen Kaffee.
   Mein ______________________ heißt „global".
5. Ich mag Wasser und hier kann ich immer meinen Sport draußen machen.
   Das ______________________ ist ganz nah.
6. Am Samstag kaufe ich hier ein. Der __________________ ist schön, die Lebensmittel sind frisch.
   Ich mag das.

Kino • Schwimmbad • Internet-Café • Fußballstadion • Markt • Restaurant

Eine Überraschung für Sofia

4 Ben und Carina im Gespräch. Ordnen Sie zu.

1 _E_ Igor hat bald Geburtstag.
2 ___ Am vierten August. Was machen wir?
3 ___ Das stimmt. Igor mag Partys.
4 ___ Im Restaurant Sailer. Da kann man Partys machen.
5 ___ Der Vierte ist ein Donnerstag. Am Samstag?
6 ___ Und dann laden wir die Leute ein.

A Und wo machen wir die Party?
B Ich rufe zuerst Igor an. Vielleicht hat er am Samstag etwas vor.
C Gut! Und wann feiern wir?
D Ja, Samstag ist gut, am Sonntag können alle lange schlafen.
E Ach so, ja. Wann denn?
F Eine Party ist immer gut.

5 a Wann haben die Personen Geburtstag? Schreiben Sie die Daten.

Geburtstagskalender	
04.01.	Angelika
09.02.	Anton
12.03.	Marcel
07.04.	Ines
20.05.	Oleg
01.06.	Mirka

Am vierten Ersten. / Am vierten Januar hat Angelika Geburtstag.
___
___
___
___
___

b Hören Sie. Notieren Sie das Datum.

1.69

1. Fußballspiel von Bayern München: *am* ___
2. Konzert von Shakira: ___
3. Film-Start „Hollywood meets Bollywood“: ___
4. Ausstellungsstart „Nach Warhol“: ___
5. Oktoberfest: *vom* ___ *bis zum* ___

6

a ***ei, au, eu.*** **Wen möchten die Anrufer sprechen? Hören Sie und kreuzen Sie an.**

1.70

1. ☐ Datz ☐ Deutz ☐ Deitz
2. ☐ Tuchel ☐ Tauchel ☐ Täuchel
3. ☐ Mautner ☐ Mutner ☐ Meitner
4. ☐ Greber ☐ Greiber ☐ Grauber
5. ☐ Demel ☐ Deimel ☐ Deumel
6. ☐ Kroner ☐ Kräuner ☐ Krauner

> **ei** und **ai**, **eu** und **äu** spricht man gleich.
> **Meier/Maier**
> **Kreutner/Kräutner**:
> Sie hören keinen Unterschied.

1.71

b **Lesen Sie zuerst leise, dann laut. Kontrollieren Sie mit der CD.**

1. Herr Hai aus Haudorf und seine Frau haben heute frei.
2. Meine Freundin hat am neunten Mai Geburtstag.
3. Am zweiten August muss Eugen Meier arbeiten.
4. Die Freunde von Paul kaufen am dreißigsten Juli ein Auto.
5. Heike und Claudia machen eine Reise nach Neuenburg in der Schweiz.

HAUDORF

7

a **Trennbare Verben. Ergänzen Sie.**

abholen • anfangen • ~~einladen~~ • mitbringen • mitkommen

1. Ben und Carina *laden* die Freunde von Igor zur Party *ein.*
2. Die Party ________ am Samstag um 21.00 Uhr ________
3. Die Freunde ________ Essen und Getränke ________
4. Florian ________ Igor um halb zehn ________
5. Igor ________ sofort ________

> **Trennbare Verben**
> *abholen, einladen*: Das Präfix ist immer betont.

b **Vor der Geburtstagsparty. Ergänzen Sie.**

einen Salat mitbringen • Geld einsammeln • Getränke kaufen • abholen • mitkommen • ~~zur Party einladen~~

1. Hallo Goran, ich möchte dich auch *zur Party einladen*.
2. Ich habe eine Bitte: Kann mein Freund ________?
3. Carina kauft das Geschenk. Sie muss ________.
4. Komm mit zum Supermarkt. Wir müssen ________.
5. Kannst du bitte Igor mit dem Auto ________?
6. Esra, kannst du bitte ________?

8

a Wie feiert Mona Geburtstag? Markieren Sie die Verben. Schreiben Sie dann die Fragen.

1. *Lädst du viele Leute ein?*
2. ______________________
3. ______________________
4. ______________________

____

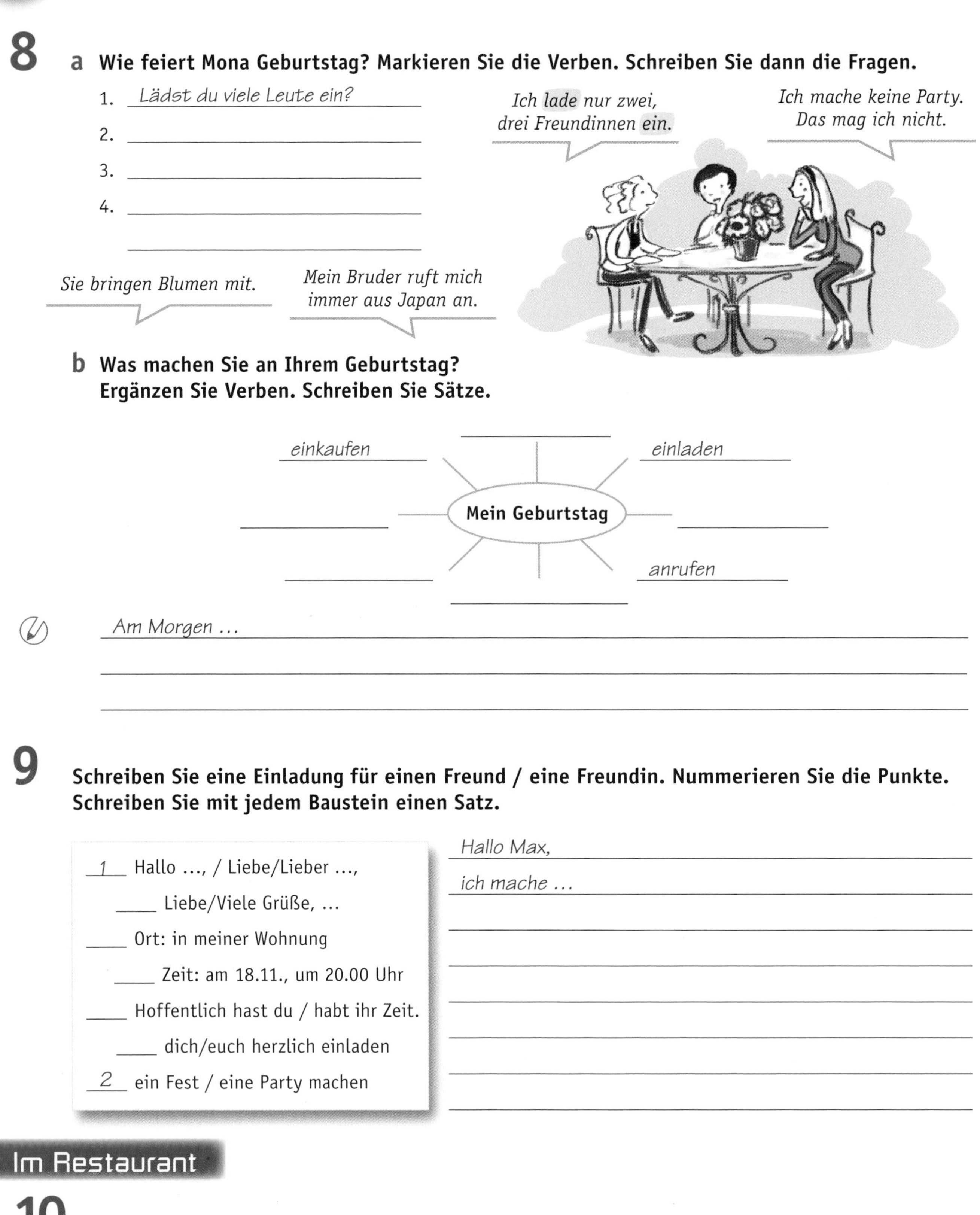

b Was machen Sie an Ihrem Geburtstag? Ergänzen Sie Verben. Schreiben Sie Sätze.

Mein Geburtstag

einkaufen ______________________

einladen ______________________

anrufen ______________________

____

____

____

____

Am Morgen … ______________________

____

____

9

Schreiben Sie eine Einladung für einen Freund / eine Freundin. Nummerieren Sie die Punkte. Schreiben Sie mit jedem Baustein einen Satz.

1 Hallo …, / Liebe/Lieber …,

___ Liebe/Viele Grüße, …

___ Ort: in meiner Wohnung

___ Zeit: am 18.11., um 20.00 Uhr

___ Hoffentlich hast du / habt ihr Zeit.

___ dich/euch herzlich einladen

2 ein Fest / eine Party machen

Hallo Max,

ich mache …

____

____

____

____

____

____

Im Restaurant

10

Getränke. Schreiben Sie die Wörter und ergänzen Sie den Artikel. Ergänzen Sie drei weitere Getränke. Das Wörterbuch hilft.

M X L I M O N A D E T W A P F E L S A F T B N M C O L A Y K A F F E E L O P W A S S E R L M O O R A N G E N S A F T A S D F T E E

die Limonade, ______________________

____

11 a Mittags im Restaurant. Was gibt es heute? Hören Sie und notieren Sie.

1.72–74

1. Kartoffelsuppe, ...
2. ______
3. ______

b Wer bekommt was? Lesen Sie und markieren Sie die Personalpronomen im Akkusativ.

◆ Für wen ist der Salat?
◇ Der Salat ist für mich, vielen Dank.
◆ Und die Suppe?
◇ Die Suppe ist für dich, Britta, oder?
◆ Ja, vielen Dank.
◆ Und die Pommes frites?
◇ Tina und Chris, die Pommes sind für euch, richtig?
◇ Nein, Sara will Pommes. Die sind für sie.
◆ Okay. Und das Hähnchen? Für wen ist das?
◇ Wo ist denn Matteo?
Das Hähnchen ist doch für ihn.
◆ Ist der Wein auch für Sie?
◇ Nein, der ist nicht für uns.

c Ergänzen Sie die Formen.

Nominativ	ich	du	er	es	sie	wir	ihr	sie/Sie
Akkusativ				es				sie/

d Ergänzen Sie die Personalpronomen im Akkusativ.

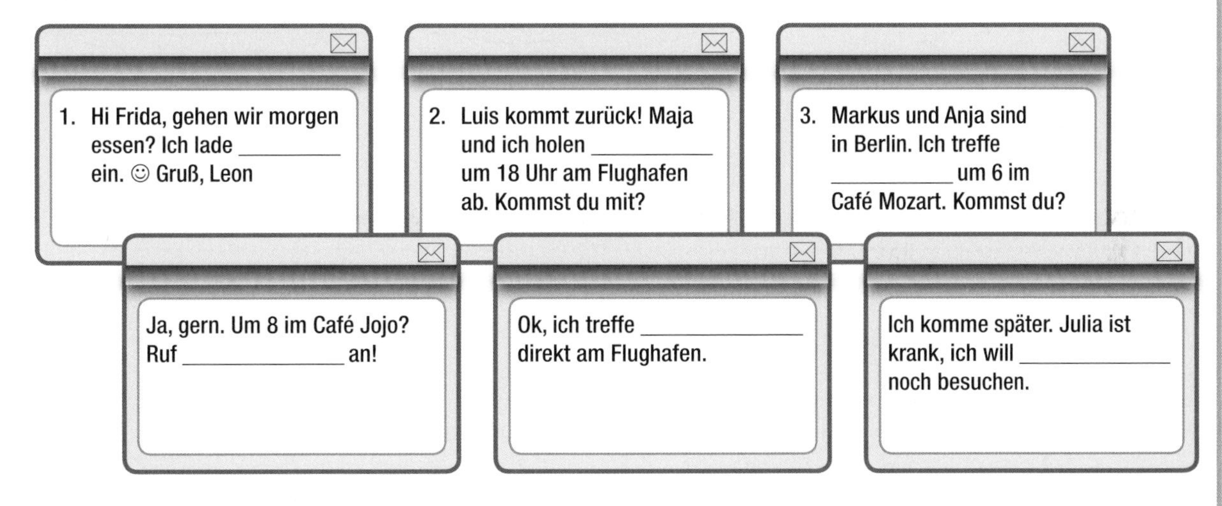

12 a Die Bestellung. Ordnen Sie die Dialoge.

1

◆ ___ Gern. (1)
◆ ___ Möchten Sie auch etwas essen? (2)
◆ _1_ Was möchten Sie trinken? (3)
◆ ___ Ja, ich hätte gern ein Schnitzel mit Pommes. (4)
◆ ___ Ich nehme ein Wasser. (5)

2

◆ ___ Ja, für mich bitte ein Salat mit Schinken. (1)
◇ ___ Nichts, danke. (2)
◆ ___ Und für Sie? (3)
◆ ___ Möchten Sie auch etwas essen? (4)
◆ ___ Ich nehme eine Cola. (5)
◆ ___ Was möchten Sie? (6)
◇ ___ Und für mich eine Limonade. (7)

b Und was bestellen Sie? Schreiben Sie einen Dialog.

Speisekarte

Pizza		7,90
Spaghetti Bolognese		6,80
Hähnchen mit Pommes frites		11,90
Fisch mit Kartoffelsalat		11,90
Getränke		
Wasser	0,2 l	1,80
Cola/Limonade	0,2 l	2,80
Saftschorle	0,5 l	3,80

◆ *Was möchten Sie?* ______

◇ ______

______

______

______

______

______

Wortschatz **c Spielen Sie kurze Dialoge.**

13

a Was passt wo? Ordnen Sie zu.

Machen Sie 12, bitte. • Auf Wiedersehen. • Stimmt so. • Getrennt. • ~~Können wir~~ bitte zahlen?

◆ Entschuldigung. (1) *Können wir ...*

◆ Ja, natürlich. Zusammen oder getrennt?

◆ (2) ______

◆ Gut, einmal Salat mit Käse und ein Orangensaft. Das macht 13,70.

◆ (3) ______

◆ Danke schön. Und einmal Salat mit Schinken und ein Wasser. Das macht 11,40.

◆ (4) ______

◆ Vielen Dank. Und hier 3 Euro zurück. Auf Wiedersehen.

◆ (5) ______

b Wie kann man auch sagen? Ordnen Sie zu.

1	____ Zahlen, bitte!	A	Danke schön.
2	____ Zusammen oder getrennt?	B	Zwölf, bitte.
3	____ Machen Sie 12 Euro, bitte.	C	Die Rechnung, bitte.
4	____ Vielen Dank.	D	Geht das zusammen?

c Zahlen, bitte! Schreiben Sie einen Dialog.

14 a Ergänzen Sie den Dialog.

war • waren • Hattest • wart • Hattet • war • war • warst • war • war • war • waren • hatte

◆ ___________ (1) du ein schönes Wochenende?
◆ Ja, sehr schön! Das Wetter ___________ (2) ja auch so toll.
◆ Und wie ___________ (3) das Fest bei Alex?
◆ Super! Und der Ausflug nach Regensburg am Freitag?
◆ Der Ausflug ___________ (4) toll! Aber wo ___________ (5) du?
◆ Ich ___________ (6) leider keine Zeit. Ich ___________ (7) am Freitag bis 8 Uhr abends im Büro. Und wo ___________ (8) ihr am Samstag, du und Adrian?
◆ Wir ___________ (9) im Kino. Und du?
◆ Ich ___________ (10) mit Mia im Restaurant. Markus und Anja ___________ (11) auch da.
◆ Und? ___________ (12) ihr Spaß?
◆ Ja, es ___________ (13) sehr lustig.

b Ergänzen Sie die Tabelle.

	Präteritum	
	haben	**sein**
ich		
du		
er/es/sie	*hatte*	
wir		
ihr		
sie/Sie	*hatten*	

c Bilden Sie acht Sätze.

Ich Du Die Kinder Sie Der Film Wir Mein Opa Ich	waren hatten war hatte warst	im Kino viel Spaß krank toll keine Zeit in Italien Lehrerin am Montag frei

Ich hatte keine Zeit.

Kneipen & Co in D-A-CH

15 a Eine E-Mail für Sie. Lesen Sie und notieren Sie: Wann und wo will Emilia Sie treffen?

Liebe/r ...,
wie geht's dir? Wir müssen uns unbedingt mal wieder sehen! Warst du schon in der neuen Strandbar am Rhein? Wirklich toll. Vielleicht hast du am Donnerstag Zeit und Lust und wir treffen uns dort? Was machen wir bei Regen? Hast du eine Idee?
Viele Grüße
Emilia

1. Wo? ____________________ 2. Wann? ____________________

b Schreiben Sie Emilia eine Antwort.

(1) __________ Emilia,

(2) __________ für deine Mail. (3) ____________________ habe ich leider keine Zeit.

Können wir uns auch (4) ____________________ treffen? Vielleicht um (5) __________ Uhr?

Strandbar ist super! Bei Regen können wir (6)____________________.

Oder vielleicht (7) ____________________. Ich rufe dich morgen an, okay?

(8) ____________________

Freizeitprogramm

16 Lesen Sie die Anzeigen und die Aufgaben. Welche Anzeige ist interessant für Sie? Kreuzen Sie an.

1. Sie möchten ein Rock-Konzert besuchen.

Musik-Hansa im Zentrum
Alle CDs reduziert! Schon ab 5 Euro!
Von Rock bis Klassik, von Pop bis House – wir haben alles, was Sie suchen!
Musik-Hansa • Goethestr. 5 • 10117 Berlin
A

Der Konzert-Sommer kann kommen!
Alle Informationen zu Bands, Terminen, Ticketpreisen unter www.nürnbergtick.de oder unter 0812-894319
B

2. Sie möchten sich über das Kulturprogramm in Berlin informieren.

Theater, Kino, Museum – Wann, wo, wie?
Alle kulturellen Events finden Sie in der aktuellen *Perle* – der Zeitung für Kultur in Berlin!
Jetzt neu!
A

❖ Kultur pur ❖
Das große Fest der Kulturen
Musik – Essen – Menschen aus der ganzen Welt.
Eine-Welt-Haus Berlin
am 09.08. um 16 Uhr
B

Das kann ich nach Kapitel 6

R1 **Hören Sie die Nachricht und ergänzen Sie den Notizzettel.**

1.75

Konzert Silbermond — *Wann?* — *Preis Ticket?*

Ich kann …	☺☺	☺	😐	☹	KB	AB
Ich kann wichtige Informationen in Ankündigungen verstehen.					16b	5b

R2 **Arbeiten Sie zu zweit und spielen Sie die Situationen.**

A **Gast**

Situation 1: Sie sind im Restaurant und möchten bestellen.

Situation 2: Sie möchten bezahlen.

B **Kellner**

Situation 1: Ein neuer Gast ist gekommen und möchte bestellen.

Situation 2: Der Gast möchte bezahlen.

Ich kann …	☺☺	☺	😐	☹	KB	AB
Ich kann Essen und Getränke bestellen und bezahlen.					12–13	12–13

R3 **Wählen Sie ein Ereignis und sprechen Sie. Wie war's?**

Fest von Freundin

Ort: Restaurant — Leute: nett

Essen: gut — viel Spaß

Open-Air-Konzert

Leute: sehr viele

Musik: super

Wetter: schlecht

Ich kann …	☺☺	☺	😐	☹	KB	AB
Ich kann über ein Ereignis in der Freizeit sprechen.					8, 14	14c

Außerdem kann ich	☺☺	☺	😐	☹	KB	AB
... bestimmte Informationen in Texten zu Lokalen oder in Anzeigen verstehen.					16a	16
... das Geburtsdatum nennen.					5	5a
... über Geburtstage sprechen.					8	8
... eine einfache Einladung verstehen und schreiben.					9	9
... in einer E-Mail Termine vorschlagen.						15b

Lernwortschatz Kapitel 6

Freizeit

der Chat, -s ______

der Preis, -e ______

der Treffpunkt, -e ______

klettern ______

Fahrrad fahren ______

Snowboard fahren ______

einen Film sehen ______

im Internet surfen ______

wandern ______

draußen ______

draußen sein ______

Feste

der Ausflug, Ausflüge ______

das Datum, Daten ______

das Fest, -e ______

der Geburtstag, -e ______

das Geschenk, -e ______

das Picknick, -s ______

die Überraschung, -en ______

Wann haben Sie Geburtstag? ______

Ich habe am fünfzehnten Elften Geburtstag. / Am 15. November. ______

ein|laden ______

planen ______

werden ______

Wie alt wird er? ______

Er wird dreißig! ______

langweilig ______

klasse ______

super ______

toll ______

im Restaurant

die Speisekarte, -n ______

das Messer, – ______

die Gabel, -n ______

der Löffel, – ______

das Glas, Gläser ______

der Kellner, – ______

die Kellnerin, -nen ______

die Rechnung, -en ______

Die Rechnung, bitte. ______

die Serviette, -n ______

der Teller, – ______

das Trinkgeld ______

die Apfelsaftschorle, -n ______

das Eis, – ______

die Limonade, -n ______

das Schnitzel, – ______

bestellen ______

Was möchten Sie bestellen? ______

Für mich bitte ein Wasser. ______

Ich hätte gern ein Wasser. ______

Ich nehme ein Wasser. ______

bringen ______

zahlen ______

Können wir bitte zahlen? / Zahlen, bitte. ______

getrennt ______

zusammen ______

Zusammen oder getrennt? ______

Machen Sie 9 Euro. ______

Stimmt so! ______

Lokale

der Biergarten, -gärten ______

das Kaffeehaus, -häuser ______

die Kneipe, -n ______

das Lokal, -e ______

die Strandbar, -s ______

Andere wichtige Wörter und Wendungen

die Idee, -n ______

Gute Idee! ______

Ich habe keine Lust. ______

der Regen ______

bei Regen ______

ab|holen ______

an|fangen ______

an|rufen ______

auf|hören ______

ein|kaufen ______

mit|bringen ______

mit|kommen ______

verraten ______

hoffentlich ______

langweilig ______

natürlich ______

wichtig ______

Wichtig für mich:

______

______

______

Im Restaurant: Wie heißen die Wörter? Ergänzen Sie.

die S _ _ _ s _ k _ _ t _

die R _ _ _ n _ _ g

der K _ _ _ n _ _

das T r _ _ _ g _ _ d

Was ist auf dem Tisch? Notieren Sie die Wörter.

______

______

______

______

Geburtstag feiern: Welche Wörter finden Sie? Notieren Sie.

~~burts~~ • Da • den • ein • ern • fei • ~~Ge~~ • Ge • la • Par • rasch • schenk • ~~tag~~ • tum • ty • Über • ung

Geburtstag, ______

______

2 Plattform Prüfungstraining

Lesen: Teil 1 – Kurze Mitteilungen verstehen

1 **Was können Sie schon? Kreuzen Sie an:**

Ich kann...

- ☐ ... kurze, einfache Mitteilungen auf Postkarten, in Briefen oder E-Mails verstehen.
- ☐ ... Einladungen verstehen.
- ☐ ... Uhrzeiten verstehen.

Sie lesen in der Prüfung (Lesen: Teil 1) zwei kurze E-Mails, Briefe oder Mitteilungen und dazu fünf Aussagen.

Text und Aussagen
Lesen Sie zuerst die Aussagen und dann den Text. Welche Stelle im Text passt zu der Aussage? Suchen Sie und markieren Sie. Ist die Aussage richtig oder falsch?

Liebe Lili,

wir treffen uns heute Abend direkt im Kino.
Der Film läuft im *City-Kino* und beginnt um 19.30 Uhr.
Du kennst doch Matilda und Valentin aus dem Sprachkurs. Sie kommen auch mit.
Wir können dann ja noch in ein Café gehen.

Viele Grüße
Jakob

1. Lili und Jakob treffen sich im Restaurant.

   Richtig ☐ Falsch ☒

Achtung:
- Es gibt nicht zu allen Informationen im Text eine Aussage.
- Die Aussagen sind oft sprachlich etwas anders als der Text.

2. Der Film fängt um halb acht an.

   Richtig ☒ Falsch ☐

2 Prüfungsaufgaben

Teil 1 Lesen Sie die beiden Texte und die Aufgaben 1 bis 5.
Kreuzen Sie an: Richtig oder Falsch?

Hallo Eva,
ich werde 25 und möchte dich gern zu meinem Geburtstag einladen. Wir feiern am Samstag, den 10.08., ab 15 Uhr im Schloss-Park mit einem großen Picknick! Du kannst gern deinen Freund mitbringen. Möchtest du vielleicht einen Kuchen machen? Bei Regen machen wir das Picknick in meiner Wohnung ☺.
Ich hoffe, du hast Zeit! Ruf mich an!

Liebe Grüße
Sara

Beispiel

0 **Sara feiert ihren Geburtstag am Samstagabend.** Richtig ~~Falsch~~ (X)

1 **Der Freund von Eva kann auch mitkommen.** Richtig Falsch

2 **Bei Regen gibt es kein Picknick.** Richtig Falsch

Lieber Dominik,
ich komme am Donnerstag um 16.15 am Bahnhof in Münster an. Ich nehme einfach den Bus, du musst mich also nicht abholen. Wir können ja am Abend vielleicht eine Pizza essen gehen, in der Clemensstraße ist doch diese tolle Pizzeria. Hast du Lust? Ich muss dir so viel erzählen.
Ich kann leider nur zwei Nächte bleiben, aber das ist auch schön, oder?

Bis Donnerstag!
Andi

3 **Andis Zug kommt um Viertel nach vier an.** Richtig Falsch

4 **Dominik holt Andi vom Bahnhof ab.** Richtig Falsch

5 **Andi muss am Samstag wieder fahren.** Richtig Falsch

Sprechen: Teil 2 – Informationen erfragen und geben

3

a Was können Sie schon? Kreuzen Sie an:

☐ Ich kann mit einfachen Ausdrücken über Themen sprechen: *Essen, Familie, Freunde.*

Sie sprechen in der Prüfung (Sprechen: Teil 2) über einfache Themen.

Einige Karten liegen verdeckt auf dem Tisch. Sie und Ihr Partner / Ihre Partnerin ziehen zu jedem Thema eine Karte mit einem Wort.

Sie stellen eine Frage, Ihr Partner / Ihre Partnerin antwortet. Dann bekommen Sie eine Frage. Sie antworten.

b Sie sprechen mit Ihrem Partner / Ihrer Partnerin über das Thema *Essen und Trinken*. Sie haben die Karte „Kaffee". Welche Fragen passen? Kreuzen Sie an.

Thema: Essen und Trinken
Kaffee

1 Trinken Sie oft Kaffee?
2 Mögen Sie gern Kaffee?
3 Was machst du heute Mittag?
4 Wie schmeckt Ihnen der Kaffee?
5 Ist noch Kaffee da?
6 Essen Sie gern Kuchen?

! Machen Sie eine Frage mit dem Wort „Kaffee".

c Ordnen Sie die Antworten den Fragen aus 3b zu.

4 Mmh, der Kaffee schmeckt gut.
____ Ja, ich trinke jeden Tag 3 oder 4 Tassen Kaffee.
____ Ja, bitte nehmen Sie! Mit Zucker und Milch?
____ Kaffee ist mein Lieblingsgetränk, ich mag Kaffee sehr gern.
____ Nein, nicht so gern. Ich trinke Tee.
____ Nein, ich trinke nie Kaffee.

! Antworten Sie nicht nur „Ja" oder „Nein". Sagen Sie noch mehr dazu:
Trinken Sie gern Kaffee? – Nein, nicht so gern. / Ja, ich trinke viel Kaffee.

4 Prüfungsaufgaben

Sprechen Sie mit Ihrem Partner / Ihrer Partnerin. Sie und Ihr Partner / Ihre Partnerin wählen je 2 Karten zu diesem Thema. Sie fragen, Ihr Partner / Ihre Partnerin antwortet. Dann fragt er/sie.

Thema: Freizeit	Thema: Freizeit	Thema: Freizeit
Sport	Kino	Hobby
Thema: Freizeit	**Thema: Freizeit**	**Thema: Freizeit**
Wochenende	Abend	Freunde

Beispiel:

Thema: Freizeit		
Hobby	Machen Sie oft Sport?	Nein, ich habe wenig Zeit.

		Thema: Freizeit
Ich gehe heute ins Kino.	Was machen Sie am Abend?	Abend

Schreiben: Teil 1 – Ein Formular ergänzen

5 **a Was können Sie schon? Kreuzen Sie an:**

☐ Ich kann persönliche Daten in Formulare schreiben. ☐ Ich kann wichtige Informationen verstehen.

Sie ergänzen in der Prüfung (Schreiben: Teil 1) fünf Informationen aus einem Text in einem Formular. Sie finden die Informationen im Text über dem Formular.

Lesen Sie zuerst das Formular. Welche Informationen fehlen?
Lesen Sie dann den Text und markieren Sie die Informationen.

b Prüfungsaufgaben

Lesen Sie den Text. Welche Informationen zur Person finden Sie? Markieren Sie.
Ergänzen Sie die Informationen im Formular.

Milena Ganterer
Völsesgasse 72
83711 München
089/4710722
milena.ganterer@xmail.de

Ihre Freundin Milena möchte am Samstag, am 05.04., mit Freunden essen gehen. Milena und ihre Freunde haben viel Zeit. Sie kommen um 19.30 Uhr und wollen bis 22.00 Uhr bleiben. Reservieren Sie für Milena Ganterer im Restaurant Kressbach einen Tisch für 5 Personen.

Reservierungen Restaurant Kressbach

Name	Milena Ganterer	(0)
Datum		(1)
Wochentag		(2)
Uhrzeit	von ______ bis ______	(3)
Wie viele Personen?	ein Tisch für 2 Personen ☐ 3–4 Personen ☐ 5–6 Personen ☐	(4)
Telefonnummer		(5)

Sätze

Aussagesätze

K1, K4, K5, K6

Ich	heiße	Gregor.	
Anna	isst	morgens Müsli.	
Mittags	isst	Anna Nudeln.	
Jan	muss	am Wochenende	arbeiten.
Am Wochenende	steht	Jan um sechs Uhr	auf.
Position 1	**Position 2**		**Satzende**

Im Aussagesatz steht das Verb auf Position 2. Das Subjekt steht vor oder nach dem Verb.

W-Fragen

Wer	bist	du?	
Wie	heißen	Sie?	
Woher	kommen	Sie?	
Wann	fängt	das Fest	an?
Was	bringen	die Gäste	mit?
Welche Sprache	sprichst	du?	
Position 1	**Position 2**		**Satzende**

Antworten

K1, K6

Ich	bin	Gregor.	
Ich	heiße	Oliver Hansen.	
Ich	komme	aus Deutschland.	
Um acht.			
Sie	bringen	Essen	mit.
Deutsch.			
	Position 2		**Satzende**

In der W-Frage steht das Verb auf Position 2. Auf Position 1 steht das W-Wort:
Wer? Wie? Wo? Woher? Was? Wann? Welche (Sprachen)*?*

Ja-/Nein-Fragen

Gehen	wir	ins Kino?	
Haben	Sie	am Dienstag Zeit?	
Kommst	du	am Samstag	mit?
Musst	du	heute	arbeiten?
Position 1			**Satzende**

Antworten

K2, K6

Ja.
Nein, leider nicht.
Ja.
Nein.

In der Ja-/Nein-Frage steht das Verb auf Position 1.

Imperativsätze mit *Sie*

K3

Gehen	Sie	links!		
Sprechen	Sie			mit.
Fahren	Sie	bitte	rechts.	
Position 1				**Satzende**

Im Imperativsatz steht das Verb auf Position 1.

Verb

Verbformen: Präsens

K1, K2

	sein	haben		
ich	bin	habe	Hallo, ich **bin** Georg.	Ich **habe** keine Zeit.
du	bist	hast	Wer **bist** du?	Wann **hast** du Zeit?
er/es/sie	ist	hat	Er **ist** Taxifahrer.	Sie **hat** keine Zeit.
wir	sind	haben	Wir **sind** fertig.	Wir **haben** heute Zeit.
ihr	seid	habt	**Seid** ihr fertig?	**Habt** ihr morgen Zeit?
sie	sind	haben	Sie **sind** Studenten.	Sie **haben** keine Zeit.
Sie	sind	haben	**Sind** Sie Frau Weber?	**Haben** Sie heute Zeit?

K1, K2

	wohnen	arbeiten	sprechen *	fahren **	Endung
ich	wohn**e**	arbeit**e**	sprech**e**	fahr**e**	-e
du	wohn**st**	arbeit**est**	sprich**st**	fähr**st**	-(e)st
er/es/sie	wohn**t**	arbeit**et**	sprich**t**	fähr**t**	-(e)t
wir	wohn**en**	arbeit**en**	sprech**en**	fahr**en**	-en
ihr	wohn**t**	arbeit**et**	sprech**t**	fahr**t**	-(e)t
sie	wohn**en**	arbeit**en**	sprech**en**	fahr**en**	-en
Sie	wohn**en**	arbeit**en**	sprech**en**	fahr**en**	-en

Unregelmäßige Verben

***e>i**	***sprechen*** (du sprichst, er/es/sie spricht), ***geben*** (du gibst, er/es/sie gibt), ***treffen*** (du triffst, er/es/sie trifft), ***essen*** (du isst, er/es/sie isst), ***sehen*** (du siehst, er/es/sie sieht), ***lesen*** (du liest, er/es/sie liest) !! ***nehmen*** (du nimmst, er/es/sie nimmt)
****a>ä**	***fahren*** (du fährst, er/es/sie fährt), ***schlafen*** (du schläfst, er/es/sie schläft), ***anfangen*** (du fängst an, er/es/sie fängt an), ***einladen*** (du lädst ein, er/es/sie lädt ein)
wissen	ich weiß, du weißt, er/es/sie weiß, wir wissen, ihr wisst, sie wissen

Modalverben

K5

	müssen	können	wollen	Endung
ich	muss	kann	will	--
du	muss**t**	kann**st**	will**st**	-(s)t
er/es/sie	muss	kann	will	--
wir	müss**en**	könn**en**	woll**en**	-en
ihr	müss**t**	könn**t**	woll**t**	-t
sie	müss**en**	könn**en**	woll**en**	-en
Sie	müss**en**	könn**en**	woll**en**	-en

Weitere Modalverben:
möchten: ich möcht**e**, du möcht**est**, er/es/sie möcht**e**, wir möcht**en**, ihr möcht**et**, sie/Sie möcht**en**
mögen: ich mag, du mag**st**, er/es/sie mag, wir mög**en**, ihr mög**t**, sie/Sie mög**en**

Verbformen: Präteritum von *sein* und *haben*

K6

	sein	**haben**		
ich	war	hatte	Ich **war** 7 Jahre alt.	Ich **hatte** Glück.
du	war**st**	hatt**est**	Wie alt **warst** du?	Du **hattest** Glück.
er/es/sie	war	hatte	Der Tag **war** schön.	Er **hatte** Glück.
wir	war**en**	hatt**en**	Wir **waren** Studenten.	Wir **hatten** Glück.
ihr	war**t**	hatt**et**	**Wart** ihr Studenten?	Ihr **hattet** Glück.
sie	war**en**	hatt**en**	Sie **waren** Schüler.	Sie **hatten** Glück.
Sie	war**en**	hatt**en**	Wo **waren** Sie gestern?	**Hatten** Sie Glück?

Verbformen: Imperativ mit *Sie*

K3

Geh**en**	Sie	links!
Fahr**en**	Sie	rechts!

Verben im Satz: Satzklammer

Modalverben

K5

	Position 2		Satzende
Ich	muss	jeden Abend bis 19.00 Uhr	arbeiten.
Am Samstag	kann	ich zu Hause	bleiben.

Trennbare Verben

K6

		Position 2		Satzende	
Aussagesatz	Mara	holt	ihre Kinder	ab.	ab|holen
W-Frage	Wen	lädt	Ben	ein?	ein|laden

Weitere trennbare Verben:
an|fangen, an|rufen, auf|hören, ein|sammeln, mit|bringen, mit|kommen, …

Modalverben und trennbare Verben

K6

		Position 2		Satzende
Aussagesatz	Mara	muss	ihre Kinder	ab|holen.
W-Frage	Wann	wollen	Sie	an|fangen?

	Position 1			Satzende
Ja-/Nein-Frage	Möchten	Sie	Ihre Freunde	mit|bringen?
	Kannst	Du	mich bitte	an|rufen?

Substantiv

Artikel

K2

maskulin	**der** Fußball
neutrum	**das** Hobby
feminin	**die** Stadt
Plural	**die** Fußbälle/Hobbys/Städte

Plural: Formen

K2

Endungen	Singular	Plural
--	der Mitarbeiter	die Mitarbeiter
mit Umlaut	der Apfel	die **Ä**pfel
-(e)n	die Stunde	die Stunde**n**
	der Mensch	die Mensch**en**
-e	der Tag	die Tag**e**
mit Umlaut	der Arzt	die **Ä**rzt**e**
-er	das Bild	die Bild**er**
mit Umlaut	das Buch	die B**ü**ch**er**
-s	das Auto	die Auto**s**

Artikelwörter

Unbestimmter und bestimmter Artikel

K3

	unbestimmter Artikel ein, ein, eine	bestimmter Artikel der, das, die
maskulin	Das ist **ein** Bahnhof.	Das ist **der** Bahnhof von Hamburg.
neutrum	Das ist **ein** Hotel.	**Das** Hotel heißt „Anna".
feminin	Das ist **eine** Straße.	**Die** Straße heißt „Müllerstraße".
Plural	Das sind ■ Schiffe.	**Die** Schiffe sind im Hafen.
	neu / nicht bekannt	**bekannt**

K2, K3, K4

Nominativ und Akkusativ: bestimmter Artikel

	Nominativ	Akkusativ
maskulin	**der** Käse	Ich kaufe **den** Käse.
neutrum	**das** Brot	Ich suche **das** Brot.
feminin	**die** Gurke	Ich kaufe **die** Gurke.
Plural	**die** Tomaten	Ich esse **die** Tomaten.

unbestimmter Artikel und Negationsartikel

Nominativ	Akkusativ
ein/**kein** Apfel	Ich kaufe **einen**/**keinen** Apfel.
ein/**kein** Brot	Ich habe **ein**/**kein** Brot.
eine/**keine** Gurke	Ich esse **eine**/**keine** Gurke.
■/**keine** Tomaten	Ich mag ■/**keine** Tomaten.

Verben mit Akkusativ

kaufen, haben, suchen, brauchen, bestellen, machen, kochen, essen, mögen, sehen, ...

G Grammatikübersicht

Possessivartikel

K5

	maskulin	neutrum	feminin	Plural
ich	**mein** Sohn	**mein** Kind	**meine** Tochter	**meine** Eltern
du	**dein** Sohn	**dein** Kind	**deine** Tochter	**deine** Eltern
er	**sein** Sohn	**sein** Kind	**seine** Tochter	**seine** Eltern
es	**sein** Onkel	**sein** Buch	**seine** Tante	**seine** Eltern
sie	**ihr** Sohn	**ihr** Kind	**ihre** Tochter	**ihre** Eltern
wir	**unser** Sohn	**unser** Kind	**unsere** Tochter	**unsere** Eltern
ihr	**euer** Sohn	**euer** Kind	**eure** Tochter	**eure** Eltern
sie	**ihr** Sohn	**ihr** Kind	**ihre** Tochter	**ihre** Eltern
Sie	**Ihr** Sohn	**Ihr** Kind	**Ihre** Tochter	**Ihre** Eltern

Pronomen

Personalpronomen

K1, K2, K6

	Singular					Plural			
Nominativ	ich	du	er	es	sie	wir	ihr	sie	Sie
Akkusativ	mich	dich	ihn	es	sie	uns	euch	sie	Sie

Nominativ: Das ist **er**. Akkusativ: Der Salat ist für **ihn**.

Das ist Frau Lang. Sie kommt aus Deutschland. Sie spricht Deutsch, Spanisch und Englisch.
Das ist Jan. Er kommt aus Frankfurt. Er wohnt in Zürich.

Präpositionen

für + Akkusativ

K6

Für wen ist das Wasser? – Das Wasser ist **für ihn** / **für den** Hund.

Zeitangaben mit *am, um, von ... bis*

K5

	Wochentage/Tageszeiten	Uhrzeit
Wann?	**am** Montag / **am** Vormittag	**um** Viertel vor drei
Wie lange?	**von** Montag **bis** Samstag	**von** neun **bis** halb zwei / **von** 9.00 Uhr **bis** 13.30 Uhr

Datumsangabe

K6

Wann? – Am ...

1. **ersten**	5. fünf**ten**	9. neun**ten**	13. dreizehn**ten**	21. einundzwanzig**sten**
2. zwei**ten**	6. sechs**ten**	10. zehn**ten**	14. vierzehn**ten**	22. zweiundzwanzig**sten**
3. **dritten**	7. **siebten**	11. elf**ten**	15. fünfzehn**ten**	30. dreißig**sten**
4. vier**ten**	8. **achten**	12. zwölf**ten**	20. zwanzig**sten**	31. einunddreißig**sten**

Alphabetische Wortliste

So geht's:
Hier finden Sie alle Wörter aus den Kapiteln 1–6 von **Netzwerk** Kursbuch A1 Teil 1.
Die fett markierten Wörter sind besonders wichtig. Sie brauchen sie für den Test „Start Deutsch 1“. Diese Wörter müssen Sie also gut lernen. **Abend**, der, -e 4/4a
Ein Strich unter einem Vokal zeigt: Sie müssen den Vokal lang sprechen. Büro, das, -s 5/6
Ein Punkt bedeutet: Der Vokal ist kurz. anfangen 6/7a
Hinter unregelmäßigen Verben finden Sie auch die 3. Person Singular. **fahren** (*er fährt*) 2/7a
Für manche Wörter gibt es auch Beispiele oder Beispielsätze. **Bank**, die, Bänke (Man sitzt an langen Tischen und Bänken.) 6/15a
In der Liste stehen keine Personennamen, keine Zahlen, keine Städte und keine grammatischen Formen.

So sieht's aus:

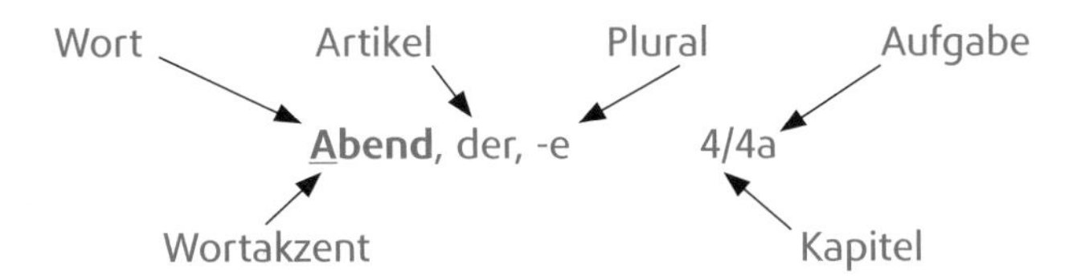

ab (1) (ab 20 Euro) 3/9a
ab (2) (ab 15 Uhr) 5/7a
Abend, der, -e 4/4a
Abendessen, das, – 4/1b
abends 4/4a
aber 2/7a
abholen 6/7a
Ach so. 3/2b
Adresse, die, -n 2/12a
ähnlich 3/9b
Airlines 3/1a
Aktivität, die, -en 6/16c
alle, alles 3/9a
Alphabet, das (Singular) 1/7a
als 3/1a
also (1) (Das ist also der Bahnhof.) 3/2b
also (2) (Also, schnell zur U-Bahn.) 3/6b
alt 3/1a
Altstadt, die, -städte 4/12
an (1), am (an der Uni) 2/7a
an (2) (an Johanna Schmidt) 5/11a
an (3), am (am 16. August) 6/4a
andere 1/1c
anders 3/9a
an|fangen (er fängt an) 6/7a
an|kreuzen 2/2a
Anmeldung, die, -en 6/16a
an|rufen 6/7a
an|sehen (er sieht an) 4/13b
Antwort, die, -en 1/4a
antworten 2/2b
Anzug, der, Anzüge 1/1a
Apfel, der, Äpfel 4/2b
Apfelsaft, der, -säfte 4/1a
Apfelsaftschorle, die, -n 6/11a
Apfelstrudel, der, – 1/1a
April, der 2/11a
arabisch 1/8a
Arbeit, die, -en 2/12b
arbeiten 2/7a
Arbeitsplatz, der, -plätze 2/7c
Arbeitstag, der, -e 5/3
Arbeitszeit, die, -en 2/7c
Architekt, der, -en 2/9a
Architektur, die (Singular) 2/7a
Arzt, der, Ärzte 2/7a
Ärztin, die,-nen 2/7a
asiatisch 4/4a
auch 1/2b
auf (1) (auf Deutsch) 4/1a
auf (2) (auf dem Markt) 4/2c
Auf Wiederhören! 5/14a
Auf Wiedersehen! 1/3a
Aufgabe, die, -n 2/5b
auf|hängen 2/12c
auf|hören 6/8a
auf|stehen 3/3
August, der 2/3b
aus 1/4a
Ausflug, der, Ausflüge 6/7a
aus|probieren 4/12
Auto, das, -s 2/7a
Autobahn, die, -en 1/1a
Baby, das, -s AB 5/7b
babysitten 5/12
Bäcker, der, – 4/12
Bäckerei, die, -en 4/2a
Bahnhof, der, -höfe 3/1a
Ball, der, Bälle 5/9a
Banane, die, -n 4/1a
Bank, die, Bänke (Man sitzt an langen Tischen und Bänken.) 6/15a
Bayern 2/5a
beantworten 4/12
Becher, der, – AB 4/8c
Beginn, der (Singular) 6/16a
beginnen 6/16a
bei (1), (Ich bin Techniker bei BMW.) 2/7a
bei (2) (Bei Regen gehen wir ins Kino.) 6/4a
Beisl, das, -n (Österreich) 6/15a
Beispiel, das, -e 3/8
Beiz, die, -en (Schweiz) 6/15a
bekommen 6/15a
beliebt 2/4
Berg, der, -e 5/11a
berichten 2/9d
Beruf, der, -e 2/7d
beschreiben 5/7c
Besenwirtschaft, die, -en 6/15a
besondere, besonderes 6/7a
Besprechung, die, -en 5/13a
bestellen 6/11a
Bestellung, die, -en 6/11a
besuchen 3/1a
Besucher, der, – 3/1a
Betreff, der (Singular) 5/11a
bezahlen 6/13
Bier, das, -e AB 4/1c
Biergarten, der, -gärten 6/15a

Bild, das, -er 2/7a
bilden 3/3
Bildgeschichte, die, -n 3/6a
billig 4/6d
Birne, die, -n 4/4a
bis 2/7a
Bis bald! 1/2a
Bis später! 4/6a
bis zum 3/1a
bitte (1) (Sprechen Sie bitte langsam.) 1/7c
bitte (2) (Hier, bitte.) 4/8a
Bitte schön! (Danke. – Bitte schön!) 6/11b
bitten 5/13c
Boxer, der, – 2/9a
brauchen 4/6b
breit 3/1a
bringen 6/11b
Brot, das, -e 4/1b
Brötchen, das, – 4/1a
Bruder, der, Brüder AB 5/7b
Buch, das, Bücher 2/3a
Buchstabe, der, -n 1/6
buchstabieren 1/7c
Bühne, die, -n 3/9a
bulgarisch 1/1a
Büro, das, -s 5/6
Bus, der, Busse 3/6b
Buschenschank, die, -en 6/15a
Butter, die (Singular) 4/1a
Butterbrot, das, -e 1/1a
Café, das, -s 2/5b
Cartoon, der/das, -s 6/10
Cent, der, – 4/8a
Champignon, der, -s 4/12
Chat, der, -s 6/4b
chatten 2/1
Chef, der, -s 4/12
China 1/8a
chinesisch 1/8a
circa 3/1a
Cocktailkleid, das, -er 3/9a
Cola, die/das, – / -s 4/1a
Computer, der, – 5/2a
Computerfreak, der, -s 5/7c
cool 5/9b
da (1) (Da ist das Hotel.) 3/2b
da (2) (Ich bin nächste Woche wieder da.) 5/11c
danach 6/7a
danke (1) (Wie geht's? – Danke, gut.) 1/2a
danke (2) (Möchten Sie Tee? – Nein, danke.) 4/10a
Danke schön. 6/11b
dann 3/8
das (1) (das Frühstück) 1/1a
das (2) (Das ist Julia.) 1/3a
Datum, das, Daten 6/5a
dein, deine 1/7c
denn 4/6b
der 1/1a
Dessert, das, -s 4/12
Deutsch 1/4a
Deutsche, der/die, -n 2/5a
Deutschland 1/4a
Dezember, der 2/11a
Dialog, der, -e 1/3b
die 1/1a
Dienstag, der, -e 2/5a
dir 1/2a
DJ, der, -s 2/9b
Döner, der, – 4/4a
Donnerstag, der, -e 2/5a
dort 4/8a
Double-Feature, das, -s 6/16a
Dr./Doktor, der, Doktoren 5/14a
dran|kommen 4/8a
draußen 6/15a
Dresscode, der, -s 3/9a
du 1/2a
durch 6/16a
duschen 5/1a
echt (1) (Das ist echt stressig.) 4/12
Echt? (2) (Sofia wird 30. – Echt?) 6/4a
Ehefrau, die, -en AB 5/7b
Ehemann, der, -männer AB 5/7b
Ehepartner, der, – AB 5/7b
Ei, das, -er 4/1a
eigene, eigenes 6/15a
ein, eine 3/2b
ein bisschen 1/7c
einfach 3/7a
ein|kaufen 4/8
Einkaufswagen, der, – 4/8a
Einkaufszettel, der, – 4/6b
ein|laden (er lädt ein) 6/7a
Einladung, die, -en 4/6a
ein|sammeln 6/7a
Eintritt, der (Singular) 6/16a
Eis, das (Singular) 6/12
Elektriker, der, – AB 2/9c
Eltern, die (Plural) 5/7a
E-Mail, die, -s 1/8d
E-Mail-Adresse, die, -n 1/7c
Emmentaler, der (Singular) 4/8a
enden 6/16a
Englisch 1/4a
Ensemble, das, -s 3/9a
entlang 6/16a
entschuldigen 5/13c
Entschuldigung, die, -en 1/2a
er 1/4c
ergänzen 1/4c
Eröffnung, die, -en 3/9a
erst (Hören Sie erst, sprechen Sie dann.) 1/7a
erste (das erste Mal, das zweite Mal) 3/8
erzählen 4/3
es (1) (Wie geht's? – Es geht.) 1/2a
es (2) (Das ist das Rathaus. Es ist 110 Jahre alt.) 3/1a
essen (er isst) 4/3
Essen, das, – 4/4a
Essig, der (Singular) 4/6b
etwas 4/8a
euch 6/7a
euer, eure 5/9b
Euro, der, – 3/9a
Event, das, -s 3/9
Extra-Konzert, das, -e 6/16a
Extra-Programm, das, -e 6/16a
fahren (er fährt) 2/7a
Fahrkarte, die, -n 3/6b
Fahrrad, das, -räder 3/6b
falsch 3/2a
Familie, die, -n 4/4a
Familienname, der, -n 6/6a
fast 3/1a
Februar, der 2/11a
feiern 6/4a
fertig 4/6a
Fest, das, -e 6/8a
Film, der, -e 1/9a
Filmfest, das, -e 3/9a
finden 4/4a
finnisch 4/1b
Firma, die, Firmen 2/9c
Fisch, der, -e 3/1a
Fischgericht, das, -e 4/12
Fischmarkt, der, -märkte 3/1b
Flammkuchen, der, – 6/15a
Flasche, die, -n AB 4/8c
Fleisch, das (Singular) 4/1a
Flughafen, der, -häfen 3/1a
Flugzeug, das, -e AB 3/6a
Fluss, der, Flüsse 3/1a
Formular, das, -e 2/12b
Foto, das, -s 2/3b
Fotoalbum, das, -alben 2/3a
fotografieren 2/1
Fotografin, die, -nen 2/9b
Frage, die, -n 3/7a
fragen 1/6c
Frankreich 1/8b
französisch 1/1a
Frau, die, -en 1/3a
frei|haben (er hat frei) 2/7a
Freitag, der, -e 2/5a
Freizeit, die (Singular) 6/1a
Freizeitprogramm, das, -e 6/16
Freund, der, -e 2
Freundin, die, -nen 2/5a
frisch 4/12
Friseur, der, -e 5/7a
früh 6/16a
Frühling, der, -e (meist Singular) 2/11a
Frühstück, das, -e (meist Singular) 1/1a
frühstücken 4/4a

für 2/7a
Fußball, der, Fußbälle 2/3a
Fußballspiel, das, -e 6/16c
Fußballstadion, das, -stadien 2/5b
Gabel, die, -n AB 6/12c
ganz (1) (125 Ziele auf der ganzen Welt) 3/1a
ganz (2) (Das ist ganz einfach.) 3/7a
Gast, der, Gäste 4/12
Gästebuch, das, -bücher 5/9a
geben (1) (Es gibt 670 Studenten.) 2/7a
geben (2) (Trinkgeld geben) 6/12
Geburtsdatum, das, -daten 2/12a
Geburtsort, der, -e 2/12a
Geburtstag, der, -e 5/7a
gefallen (es gefällt) 5/9b
gehen (1) (Wie geht es Ihnen? – Es geht.) 1/2a
gehen (2) (Ich gehe ins Kino.) 2/1
gehen (3) (Am Mittwoch geht es leider nicht.) 2/5a
Geld, das (Singular) 6/7c
Gemüse, das (Singular) 4/1a
genug 6/14a
geöffnet 6/15a
gerade 5/11a
geradeaus 3/6b
Gericht, das, -e 4/12
gern (= gerne) 2/2b
Geschäft, das, -e 3/1a
Geschenk, das, -e 6/7a
Geschwister, die (Plural) AB 5/7b
Gespräch, das, -e 4/2a
gesund 4/4a
Getränk, das, -e 4/6b
getrennt 6/13a
Glas, das, Gläser AB 4/1c
glauben 6/1a
gleich 4/6a
gleichfalls 4/10a
Glück, das (Singular) 3/6b
Gramm, das, – 4/8a
Griechenland AB 1/8b
griechisch AB 1/8b
Grill, der, -s 6/15a
grillen 4/6a
Grillparty, die, -s 4/6
groß 3/1a
Großbritannien 1/8b
Großeltern, die (Plural) AB 5/7b
Großmutter, die, -mütter AB 5/7b
Großstadt, die, -städte 3/9a
Großvater, der, -väter AB 5/7b
Gruppe, die, -n 3/3
Gruß, der, Grüße 5/11a
Grüß Gott! 3/2b
Gurke, die, -n 4/1b
gut 1/2a
Gute Nacht! 1/3a
Guten Abend! 1/3a
Guten Appetit! 4/10a
Guten Morgen! 1/3a
Guten Tag! 1/3a
haben (er hat) 2/7a
Hafen, der, Häfen 3/1a
Hähnchen, das, – AB 4/1a
halb 5/4b
Halbmarathon, der, -s 6/16a
Hallo! 1/2a
Handynummer, die, -n 1/6c
Hausmeister, der, – AB 2/9a
Hausnummer, die, -n AB 1/4e
Heimatland, das, -länder 6/15c
heißen 1/2a
helfen (er hilft) 5/11a
Herbst, der, -e (meist Singular) 2/11a
Herr, der, -en 1/3a
herzlich 6/7a
heute 3/6b
hier 2/7a
Hilfe, die, -n 3/6b
Hobby, das, -s 2/3a
hoch 3/1a
hoffentlich 6/7a
Höhe, die, -n 3/1a
Homepage, die, -s 5/9a
hören 1/2a
Hotel, das, -s 3/2a
Hotelfachfrau, die, -en 4/12
Hund, der, -e 5/9a
ich 1/2a
Idee, die, -n 5/12
Ihnen 1/3a
ihr, ihre 2/3a
Ihr, Ihre 1/6c
immer 4/4a
in (1) (in Frankfurt) 1/4a
in (2) (in 8 Stunden) 3/1a
Information, die, -en 2/3a
informieren 6/7a
Ingenieur, der, -e 2/9a
interessant 3/2b
Interesse, das, -n 2/12b
international 1/1a
Internet, das (Singular) 6/1a
Internetseite, die, -n 2/12b
Interview, das, -s 1/5a
Irland AB 1/8b
Italien 1/8b
italienisch 1/1a
ja 2/2b
Jahr, das, -e 2/7a
Jahreszeit, die, -en 2/11d
jährlich 3/1c
Jänner, der (in Österreich) 2/11a
Januar, der 2/11a
Japan 1/8b
japanisch 1/1a
Jeans, die, – 3/9a
jede, jedes 3/1a
jetzt 3/6b
joggen 2/1
Joghurt, der/das, -s 4/1a
Journalistin, die, -nen 2/9a
Juli, der 2/11a
Junge, der, -n AB 5/7b
Juni, der 2/11a
Juristin, die, -nen AB 2/9a
Kaffee / (in Österreich) Kaffee , der, – 4/1b
Kaffeehaus, das, -häuser 6/15a
Kalender, der, – 2/5b
kalt 6/1b
Kanada AB 1/8b
Kantine, die, -n 5/1a
Kapitel, das, – 3/3
Karotte, die, -n 4/6b
Karte, die, -n 6/16a
Karteikarte, die, -n 4/13b
Kartoffel, die, -n 4/1a
Käse, der (Singular) 4/1a
Kassenzettel, der, – 4/8a
kaufen 3/1a
kein, keine 3/2b
Keks, der, -e 4/1b
Kellner, der, – 4/12
Kellnerin, die, -nen 6/13a
kennen 1/1c
Kilogramm, das, – AB 4/8c
Kilometer, der, – 2/7a
Kind, das, -er 5/7a
Kino, das, -s 2/1
Kirche, die, -n 3/1a
Kiwi, die, -s 4/3
klar (kurz und klar) 1/S. 15
klasse 6/14a
Klassik, die (Singular) 3/9a
Klassiker, der, – 6/15a
klassisch 3/9a
klein 4/12
Kleingruppe, die, -n 6/15b
klettern 6/1a
klingen 5/11c
Klinik, die, -en 2/7a
km (Kilometer) 3/1a
Kneipe, die, -n 5/13a
Koch, der, Köche 4/12
kochen 2/1
Kollege, der, -n 2
Kollegin, die, -nen 1/3a
kombinieren 3/9a
kommen 1/4a
können (Kannst du das bitte buchstabieren?) 1/7c
Kontakt, der, -e 5/9a
kontrollieren 3/2b
Konzert, das, -e 6/16c
Konzertbeginn, der (Singular) 6/16a
kosten 4/8a
krank 5/7b
Kranke, der/die, -n 1/1a
kreativ 4/12

Kroatien 5/9a
Kuchen, der, – 4/1b
Kultfilm, der, -e 6/16a
Kultur-Nacht, die, – Nächte 6/16a
Kundin, die, -nen 5/15
Kunsthalle, die, -n 3/2b
Kurs, der, -e 2/4
Kursfest, das, -e 6/9
kurz 3/5a
Land, das, Länder 1/8b
Landwirt, der, -e 4/12
lang (1) (10 km lang) 3/1d
lang (2) (= lange) (Er schläft lang.) 5/2a
langsam 1/7c
langweilig 6/14a
laufen (er läuft) 6/16a
laut 1/6a
Leben, das, – (meist Singular) 3/9a
Lebensmittel, das, – (meist Plural) 4/1a
lecker 4/10a
ledig AB 5/7b
Lehrerin, die, -nen AB 2/9a
leider 2/5a
leid|tun (Es tut mir leid.) 5/12
lernen 1/8a
lesen (er liest) 2/3a
letzte, letzter 6/14b
Leute, die (Plural) 2/1
Liebe Grüße 5/11a
lieben 2/3a
Lieblingsfilm, der, -e 2/12b
Lieblingsmusik, die (Singular) 2/12b
liegen 3/1a
Limonade, die, -n 4/8b
links 3/6b
Liter, der, – AB 4/8c
Löffel, der, – AB 6/12c
Lokal, das, -e 6/15b
Lust haben 6/16c
lustig 2/3b
machen (1) (Was machen wir am Montag?) 2/6a
machen (2) (Macht nichts.) 5/13c
Mädchen, das, – AB 5/7b
Mahlzeit, die, -en 4/10a
Mai, der 2/11a
Mail, die, -s 6/7a
Mal, das, -e 5/13c
malen 2/11d
man (Hier kann man alles kaufen.) 3/1a
manchmal 4/4a
Mann, der, Männer 3/7a
männlich 2/12b
Maori AB 1/8b
Marathon, der, -s 6/16c
markieren 2/8b
Markt, der, Märkte 3/1a
Marmelade, die, -n 4/1a
März, der 2/11a
Mathe-Test, der, -s 5/7a
maximal 6/15a
Meer, das, -e 3/1a
mehr (1) (mehr als 100000 Menschen) 3/1a
mehr (2) (Wir haben keinen Käse mehr.) 4/6b
mein, meine 1/3a
meinen (Was meint ihr?) 2/3b
meistens 6/15a
Melodie, die, -n 2/6b
Mensch, der, -en 2/7a
Messer, das, – AB 6/12c
Meter, der, – 3/1a
Metzgerei, die, -en 4/2a
Mexiko AB 1/8b
Milch, die (Singular) 4/1a
Mindmap, die, -s 4/13a
Minute, die, -n 5/13a
mit 2/5b
mit|bringen 4/6a
mit|kommen 6/7a
Mittagessen, das, – (meist Singular) 4/1a
Mittag, der, -e 4/4a
mittags 4/4a
Mitte, die (Singular) 3/1a
Mittwoch, der 2/5a
möchte (Ich möchte ein Stück Käse.) 4/8a
modern 3/9a
mögen, mag 4/11a
Moin! 3/2b
Moment, der, -e 4/6b
Monat, der, -e 2/11a
Montag, der, -e 2/5a
morgen (Ich habe morgen keine Zeit.) 4/6a
Morgen, der, – (Ben joggt am Morgen.) 5/1c
morgens (Anna isst morgens Müsli.) 4/4a
Motorrad, das, -räder 5/9a
Motto, das, -s 3/9a
Museum, das, Museen 2/5b
Museumsnacht, die, -nächte 6/16a
Musik, die (Singular) 2/1
Musikschule, die, -n 5/7b
Musikstunde, die, -n 5/7a
Müsli, das, -s 4/1a
müssen (Ich muss am Sonntag arbeiten.) 5/12
Mutter, die, Mütter 5/7b
Muttersprache, die, -n 4/1b
na (= nein) 2/5a
nach (1) (Ich reise nach Paris.) 2/3b
nach (2) (Nach 453 Stufen ist eine Plattform.) 3/1a
nach (3) (Es ist 10 nach 5.) 5/4b
nach Hause 5/1a
Nachmittag, der, -e 5/3
Nachname, der, -n 2/12b
Nachricht, die, -en 2/12b
nachsprechen (er spricht nach) 2/6a
nächste, nächstes 5/11a
Nacht, die, Nächte 6/15a
nachts 2/7a
Name, der, -n 1/3a
natürlich 4/12
nee (= nein) 2/5a
nehmen (er nimmt) 4/6b
nein 2/2b
nennen 3/2a
nett 4/12
neu 4/12
Neuseeland AB 1/8b
nicht (Ich verstehe das nicht.) 1/7c
nichts (Ich esse nichts.) 4/4a
nö (=nein) 2/5a
noch (1) (Was brauchen wir noch?) 4/6b
noch (2) (Pia ist noch nicht da.) 5/13a
noch einmal 1/7c
normal 5/1a
normalerweise 4/12
notieren 1/5a
Notiz, die, -en 2/9c
November, der 2/11a
Nudel, die, -n 4/4a
nummerieren 3/1a
nur 3/1a
Obst, das (Singular) 4/4a
oder 2/3b
offen 5/15
offiziell 5/5b
oft 2/7a
ohne 4/4a
okay 3/2b
Oktober, der 2/11a
Öl, das, -e 4/6b
Olive, die, -n 4/6b
Oma, die, -s AB 5/7b
online 2/12b
Opa, der, -s AB 5/7b
Orange, die, -n 4/2b
Orangensaft, der, -säfte 4/1a
Orchester, das, – 3/9a
Ort, der, -e 6/7a
Österreich 1/8a
Packung, die, -en AB 4/8c
Palme, die, -n 6/15a
Pantomime, die, (Singular) 6/2b
Park, der, -s 3/8
Partner, der, – 1/5b
Partnerin, die, -nen 1/5b
Party, die, -s 5/11c
Passagier, der, -e 3/1d
passen 2/7b
Patient, der, -en 2/7a
Person, die, -en 1/2a
Picknick, das, -s 6/4a
Pizza, die, -s / Pizzen 4/4a

Plakat, das, -e 2/11d
planen 4/6b
Plattform, die, -en 3/1a
Platz, der (Wir haben Platz für 100 Leute.) 2/7a
Polen 1/8b
polnisch 1/8b
Pommes , die (Plural) 6/11a
Pommes frites, die (Plural) AB 4/1a
Portugal AB 1/8a
portugiesisch AB 1/8b
Poster, das, – 4/5
Postleitzahl, die, -en AB 1/4f
Praxis, die, Praxen 5/14a
Preis, der, -e 6/16a
prima 4/6b
pro 2/7a
Problem, das, -e 5/13b
produzieren 2/7a
Professorin, die, -nen 2/9a
Profil, das, -e 2/12b
Programmierer, der, – AB 2/9a
Prost! 4/10a
pünktlich 5/13c
Pünktlichkeit, die (Singular) 5/13
Radtour, die, -en 5/12
raten, rät 1/5b
Rathaus, das, -häuser 3/1a
rätoromanisch 1/8b
Rechnung, die, -en AB 6/13b
rechts 3/6b
Regen, der (Singular) 6/4a
Reis, der (Singular) 4/4a
Reiseführer, der, – 1/4a
reisen 2/1
Restaurant, das, -s 2/5b
richtig 3/2a
Rock, der (Ich höre gerne Jazz und Rock.) 3/9a
Rucksack, der, -säcke 1/1a
rund (Berufe rund ums Essen) 4/12
russisch 1/1a
Russland 1/8b
Saft, der, Säfte 4/1b
sagen 3/2b
Sahne, die (Singular) 4/1b
Salat, der, -e 4/1a
Salz, das, -e (meist Singular) 4/1a
sammeln 1/1c
Samstag, der, -e 2/5a
Sand, der (Singular) 6/15a
satt 4/10a
Satz, der, Sätze 3/4a
Saxophon, das, -e 5/9a
S-Bahn, die, -en AB 3/6a
schade 5/12
schälen 4/12
schenken 6/4a
Schiff, das, -e 3/1a
Schinken, der, – 4/1b
schlafen (er schläft) 4/4a
schmecken 4/4a
Schnee, der (Singular) 6/1b
schneiden 4/12
schnell 3/6b
Schnitzel, das, – 6/11a
Schokolade, die, -n 4/1b
schon 4/6a
schön 3/2b
schreiben 1/7b
Schule, die, -n 2/12b
Schweden 1/8c
schwedisch AB 1/8b
Schweiz, die 1/8b
Schwimmbad, das, -bäder 2/5b
schwimmen 2/1
See, der, -n 3/2b
sehen (er sieht) 3/1a
sehr 1/2a
sein (1) (Ich bin Gregor.) 1/2b
sein (2) , seine (Otto und sein Ball.) 5/9a
seit 3/1c
selbst 6/15a
Selbstbedienung, die (Singular) 6/15a
September, der 2/11a
Serviette, die, -n AB 6/12c
sich (Die Kollegen treffen sich am Abend.) 5/13a
Sie (1) (Wie heißen Sie?) 1/3a
sie (2) (Das ist Anna. Sie wohnt in Berlin.) 1/4b
Sinfonie, die, -n 3/9a
singen 2/1
sitzen 6/15a
SMS, die, – 4/6a
Snowboard, das, -s 6/1a
so 2/3b
Sohn, der, Söhne 5/7b
Sommer, der, – (meist Singular) 2/11a
Sonne, die, -n (meist Singular) 6/15a
Sonntag, der, -e 2/5a
Sonntagnachmittag, der, -e 5/11a
sonst 4/8a
Spaghetti, die (Plural) 2/3b
Spanien 1/8b
spanisch 1/4a
spät (1) (Wie spät ist es?) 5/5a
spät (2) (Es tut mir leid, ich bin zu spät.) 5/13c
spazieren gehen 5/2a
Speisekarte, die, -n 6/12
Spiel, das, -e 5/7a
spielen 2/3b
Spielplatz, der, -plätze 6/15a
spitze 5/9b
Sport, der (Singular) 5/9a
Sprache, die, -n 1/8b
Sprachkurs, der, -e 5/12
Sprachschule, die, -n 5/15
sprechen (er spricht) 1/4a
Stadt, die, Städte 2/3a
Stadtmarathon, der, -s 6/16a
Star, der, -s 3/9a
Start, der (Singular) 3/8
stehen 6/15a
stimmen 6/13a
Strandbar, die, -s 6/15a
Straße, die, -n 3/2b
Straßenbahn, die, -en AB 3/6a
Straußwirtschaft, die, -en 6/15a
Stress, der (Singular) 5/11a
stressig 4/12
Stück, das, -e 4/4a
Student, der, -en 2/7a
Studentin, die, -nen 2/9c
studieren 2/7a
Stufe, die, -n 3/1a
Stunde, die, -n 2/7a
super 2/3a
Supermarkt, der, -märkte 4/2a
Suppe, die, -n 4/1b
surfen (Ich surfe im Internet.) 6/1a
Sushi, das, – 4/4a
Symbol, das, -e 3/1a
Symphoniker, die, – 3/9a
Syrien AB 1/8b
Tabelle, die, -n 1/8a
Tafel, die, -n 3/6a
Tag, der, -e 2/7a
tanzen 2/1
Tasse, die,-n AB 4/1c
Taxi, das, -s 3/3
Taxifahrer, der, – 2/7a
Team, das, -s 4/12
Techniker, der, – 2/7a
Tee, der, -s 4/1a
Telefon, das, -e 1/4a
telefonieren 5/11c
Telefonnummer, die, -n 1/6c
Teller, der, – AB 6/12c
Tennis, das (Singular) 5/12
Termin, der, -e 5/7
Terminal, der, -s 3/1a
Test, der, -s 3/6b
teuer 4/6d
Text, der, -e 2/7a
thai AB 1/8b
Thailand AB 1/8b
Theater, das, – 2/5b
Theater-Festival, das, -s 3/9a
Ticket, das, -s 3/9a
Tisch, der, -e 6/15a
Tochter, die, Töchter 5/7b
toll 4/4a
Tomate, die, -n 4/1b
Tomatensuppe, die, -n 6/12
total 5/9b
Training, das, -s 5/7a
treffen (er trifft) 5/2a
Treffpunkt, der, -e 6/7a
trinken 4/4a

Trinkgeld, das, -er (meist Singular) 6/12
Trompete, die, -n 5/7a
Tschüs! 1/2a
tun (Was kann ich für Sie tun?) 5/14a
Türkei, die 1/8b
türkisch 1/1a
Turm, der, Türme 3/1a
Tüte, die, -n 4/8a
typisch 6/15a
U-Bahn, die, -en 3/6b
über (1) (Das Rathaus ist über 110 Jahre alt.) 3/1a
über (2) (ein Film über das Leben in großen Städten) 3/9a
überall 6/15a
Überraschung, die, -en 6/7a
Überraschungstag, der, -e 6/7a
Uhr, die, -en 3/9a
Uhrzeit, die, -en 5/4a
Ukraine, die 1/8c
um 5/6
und 1/2a
ungarisch 1/1a
Uni, die, -s 2/7a
uns 4/6a
unser, unsere 5/9a
unterstreichen 2/7b
USA, die (Plural) 1/8a
variieren 1/7c
Vater, der, Väter 5/7b
Verabredung, die, -en 5/11
verheiratet AB 5/7b
verraten (er verrät) 6/7a
Verspätung, die, -en 5/13b
verstehen 1/7c
Verwandte, der/die, -n AB 5/7b
viel 2/7a
Viel Spaß! 4/12
Viele Grüße 5/11c
Vielen Dank! 3/7a
vielleicht 4/6a
Viertel nach 5/5a
Viertel vor 5/5a
voll 6/15a
von (1) (Das Hobby von Ben ist Joggen.) 2/3a
von (2) (von 9 bis 13 Uhr) 5/7a
von Beruf 2/7d
vor 5/4a
vorbei 6/16a
vorher 6/7a
Vormittag, der, -e (Am Vormittag esse ich Obst.) 4/4a
vormittags (Ich arbeite nur vormittags.) 5/15
Vorname, der, -n 2/12a
vorne 3/2b
vor|stellen (Stellen Sie Ihren Partner vor.) 1/5b
wählen 5/15
Walking, das (Singular) 5/9b
Walzer, der, – 1/1a
wandern 6/1a
wann? 2/5a
warm 4/4a
warten 4/6a
warum? 6/16c
was? 2/1
waschen (er wäscht) 4/12
Wasser, das, – 4/1a
Webseite, die, -n AB 1/4f
wechseln 4/8a
Weg, der, -e 3/2a
weiblich 2/12b
Wein, der, -e 6/15a
Weingebiet, das, -e 6/15a
welche?, welches? 1/4a
Welt, die, -en (meist Singular) 3/1a
wenig 4/4a
wer? 1/2a
werden (er wird) 6/4a
Wetter, das (Singular) 6/14a
wichtig 4/4a
wie 1/2a
Wie bitte? 1/7c
Wie geht's? 1/2a
wie lange? 5/7a
wie viel? 4/8a
wieder 5/11c
willkommen 2/12
Winter, der, – (meist Singular) 2/11a
wir 2/3a
wirklich 4/10a
wissen (er weiß) 5/9b
wo? 1/4a
Woche, die, -n 2/7a
Wochenende, das, -n 2/3b
woher? 1/4a
wohin? 6/4a
wohnen 1/4a
Wohnort, der, -e 2/12b
wollen (Er will in die Berge fahren.) 5/11a
Wort, das, Wörter 2/7b
Wörterbuch, das, Wörterbücher 2/11d
würfeln 3/8
Wurst, die, Würste 4/1b
Würstchen/Würstel, das, – 1/1a
Zahl, die, -en 1/6a
zahlen (Können wir bitte zahlen?) 6/13a
Zeit, die, -en (meist Singular) 4/4a
Zeitung, die, -en 5/2a
Zentrum, das, Zentren 6/16a
Ziel, das, -e 3/1a
zu (1), zum, zur (Zum Hotel Michel, bitte.) 3/2a
zu (2) (Ich bin zu spät.) 5/13c
zu Fuß 3/6b
zu|bereiten 4/12
Zucker, der 4/1b
zuerst 6/1b
Zug, der, Züge 3/1a
zum Beispiel 6/15a
Zum Wohl! 4/10a
zu|ordnen 1/1a
zurück 4/12
zusammen 4/4a
Zwiebel, die, -n 4/12
Zwiebelkuchen, der, – 6/15a

DVD zu Netzwerk A1 Teil 1

Die Rollen und ihre Darsteller:

Bea Kretschmar:	Lena Kluger
Felix Nowald:	Florian Wolff
Ella Berg:	Ella Mahena Rendtorff
Claudia Berg:	Verena Rendtorff
Martin Berg:	Benno Grams
Hanna Wagner:	Angela Kilimann
Herr Schütz:	Jan Faszbender

Weitere Mitwirkende:
Petra Pfeifhofer, Helge Sturmfels, Timo Zeschky, Jakob Gutbrod

Kamera:	Carsten Hammerschmidt
Ton:	Christiane Vogt
Musik:	iStock
Postproduktion:	Andreas Scherling
Redaktion:	Angela Kilimann
Regieassistenz:	Elke Burger
Drehbuch und Regie:	Theo Scherling
Produktion:	Bild & Ton, München

Fotos auf den DVD-Seiten, die nicht im Quellenverzeichnis stehen, sind Standbilder aus dem Film.

Audio-CDs zu Netzwerk A1 Teil 1

CD 1 zum Kursbuch A1 Teil 1 und CD 1 zum Arbeitsbuch A1 Teil 1

Sprecherinnen und Sprecher:
Tülay Atagün, Alexander Brem, Julia Cortis, Niklas Graf, Kathrin Höhne, Vanessa Jeker, Iwona Kul-Federspiel, Detlef Kügow, Charlotte Mörtl, Verena Rendtorff, Jakob Riedl, Helge Sturmfels, Peter Veit, Benedikt Weber, Sabine Wenkums

Musikproduktion, Aufnahme und Postproduktion:
Heinz Graf, Puchheim

Regie:
Sabine Wenkums

Laufzeiten:
Kursbuch-CD 53 min.
Arbeitsbuch-CD 45 min.

Quellenverzeichnis

Cover Luc Beziat, Getty Images; shutterstock.com – Robcocquyt
S. 4 oben: Dieter Mayr, Mitte: shutterstock.com – Evgenia Bolyukh, unten: shutterstock.com
S. 5 oben/Mitte: Dieter Mayr, unten: shutterstock. com – Perig
S. 6
1. Stefanie Dengler
2. Jana Kilimann
3. vario images
4. Sepp Spiegel / vario images
5. shutterstock.com – Yamix
6. Paul Rusch
7. shutterstock.com – Kateryna Larina
8. shutterstock.com – Andresr
9. Juliet Savigear

S. 7
A Paylessimages – Fotolia.com
B shutterstock.com – Stefanie Mohr Photography
C Jana Kilimann
D shutterstock.com – Bernd Jürgens
E shutterstock.com – StockLite
F Werner Heiber – Fotolia.com
G shutterstock.com – Lasse Kristensen
H Anweber – Fotolia.com
I shutterstock.com – Josef Müller

S. 8, 9 Dieter Mayr
S. 10 Oben: shutterstock.com – Oleg Golovnev (Frau), Henri Schmit (Mann)
S. 12 shutterstock.com – William Ju, Dianne Maire, Monkey Business Images, Nikulin, ildogesto (Karte)
S. 16
1. shutterstock.com – Evgenia Bolyukh
2. Foto-Ruhrgebiet – Fotolia.com
3. Diego Cervo – Fotolia.com
4. Digitalpress – Fotolia.com
5. Boumenjapet – Fotolia.com
6. Paylessimages – Fotolia.com

S. 17
7. shutterstock.com - Photosani
8. shutterstock.com
10. BK – Fotolia.com

Portraits: shutterstock.com – Andrey Arkusha, Nikulin, Yuri Arcurs

S. 18 Katja: shutterstock.com – PT Images
1. Tadija Savic – Fotolia.com
2. Benno Kilimann
3. getty
4. Erwinova – Fotolia.com
5. getty

S. 20
1. S. Willnow – Fotolia.com
2. shutterstock.com – zhu difeng
3. shutterstock.com – wavebreakmedia ltd
4. Dron – Fotolia.com

S. 22 shutterstock.com
S. 26 Oben: shutterstock.com
Mitte links: Benno Kilimann
Mitte rechts: Stefan Lenz – Fotolia.com
Unten: Rainer Sturm – pixelio
S. 27 Links: Helen Schmitz
Rechts: Krane – Fotolia.com
Unten: shutterstock.com – Kalnenko
S. 28 Corepics – Fotolia.com
S. 29 Krane – Fotolia.com
S. 30
1. Wolfgang Jargstorff – Fotolia.com
2. shutterstock.com – Gravicapa
3. Stefan Lenz – Fotolia.com
4. Krane – Fotolia.com
5. shutterstock.com – Dainis Derics

S. 31 Stadtplan: Polyglott Verlag
S. 32
1. laif
2. cinetext / Pandora
3. dpa / picture-alliance

S. 36
17. shutterstock.com
26. Erwinova – Fotolia.com
29. BK – Fotolia.com

S. 37
4. getty
5. Dron – Fotolia.com
9. Krane – Fotolia.com

S. 39 Oben links, mitte rechts, unten rechts: getty
Oben rechts, mitte links: Dieter Mayr
Unten links: dpa / picture-alliance
S. 40 Dieter Mayr
S. 41 Oben: Dieter Mayr
Bäckerei (contrastwerkstatt), Markt (Thomas Aumann): Fotolia.com
Metzgerei: mauritius images
Supermarkt: G. Schönemann – pixelio.de
S. 42 Oben: shutterstock.com – Petrenko Andriy
Mitte: iStockphoto – William Britten
Unten: shutterstock.com – PT Images
S. 43 Dieter Mayr
S. 45 Dieter Mayr
S. 46 laif
S. 50 Dieter Mayr
S. 51 Maridav – Fotolia.com
S. 54 Katharina Weiß
S. 60
1. Maridav – Fotolia.com
2. shutterstock.com – Galyna Andrushko
3. shutterstock.com – Gravicapa
4. shutterstock.com – denirofoto
5. shutterstock.com – Scherbyna
6. Rachwalski – Fotolia.com
7. shutterstock.com – Pashin Georgiy

S. 61
8. BK – Fotolia.com
9. shutterstock.com – Hank Frentz

10.–13. shutterstock.com – Perig, Perig, Robcocny, Dyoma

S. 64 oben: Thomas Körner
Unten: Dieter Mayr
S. 65 Dieter Mayr
S. 66 Oben links: Wikimedia Creative Commons / Sigismund von Dobschütz
Unten links, Mitte: laif
Oben rechts: mauritius images
Unten rechts: Albert Ringer
S. 67 Links: Land Berlin / Thie
Mitte: shutterstock.com – Rob Wilson
Rechts: www.cinerent.com
S. 68 Lied: Musik: Frank Daniel, nach M. J. Hill; Text: egon l. frauenberger. Mit freundlicher Genehmigung: edition effel-music, frauenberger, münchen
S. 72 Links: Manfred Steinbach – Fotolia.com
Rechts: shutterstock.com – Ersler Dmitry
S. 73
3. shutterstock.com – Rob Byron
4. Dieter Mayr
5. Helen Schmitz
6. iStockphoto – Imre Cikajlo
7. Helen Schmitz
8. Helen Schmitz

S. 76 Oben links und Mitte (3): Dieter Mayr
Oben rechts: shutterstock.com
S. 88 Sabine Wenkums
S. 89 Links und Mitte: Sabine Wenkums
Rechts: Paul Rusch
S. 100 Oben links: Gabriele Rohde – Fotolia.com
Alle anderen: shutterstock.com
S. 101 Corepics – Fotolia.com
S. 109 von links nach rechts: Krane – Fotolia.com, Stefan Lenz – Fotolia.com, Benno Kilimann, shutterstock.com, Helen Schmitz, Rainer Sturm – pixelio.de
S. 113 Oben (3): Sabine Wenkums
Unten von links nach rechts: Krane – Fotolia.com, Stefan Lenz – Fotolia.com, Rainer Sturm – pixelio.de
S. 114 Oben Mitte: Maridav – Fotolia.com, oben rechts: Sabine Wenkums
Unten (3): shutterstock.com
S. 117 Charlotte Mörtl
S. 119 Dieter Mayr
S. 120 Sabine Wenkums
S. 123 mauritius images
S. 140 A shutterstock.com – Ipatov, B shutterstock.com – Kzenon, C shutterstock.com – Patrizia Tilly, D shutterstock.com – Pavzyuk Svitlana
S. 142 Dieter Mayr
S. 155 Sabine Wenkums